Russian Short Stories

11 Simple Stories for Beginners Who Want to Learn Russian in Less Time While Also Having Fun

Contents

Introduction

Reading and a Foreign Language

Any person studying a foreign language usually deals with four necessary elements: Listening, Speaking, Writing, and Reading. They are the keystones of language learning as they constitute all the necessary language skills. Yet, in addition to being a keystone, reading may also be a lot of fun.

It is a very intense activity—while reading, you can simultaneously learn grammar concepts as well as new vocabulary and idiomatic expressions—all in one pack. The best part is that sometimes you don't even have to study all of these things specifically—they often become clear from the context, and you can easily memorize them without additional efforts. Reading illustrates and provides very useful insights into the things you have studied in a grammar book. If you manage to find a really interesting and captivating text that is suitable for your level, not only will you get the grammar and vocabulary almost automatically, but you will also have a great time and learn something new about the world. Also, reading is very a comfortable way of learning as you can do it at your own pace and return to especially tricky abstracts as many times as you need. Moreover, using modern technologies, you can also combine reading and listening aspects, complementing them both.

Hints and Tips for Reading

Here are some hints and tips that will help you make reading a pleasant activity.

First of all, try to find a text that really interests you. Texts should correspond to your language level and be connected with a topic or a subject you really love. One of the ways to level up your reading skill is to read—in the foreign language you are studying—your favorite book, the one you have already read in your language and thus know well. A well-known book is usually available in many languages, and you will probably find the translation in your target language. It may be your favorite children's book for a start as the language is usually simpler, and later on, you may begin reading something more complicated. Also, with today's technologies, you can easily use the Internet to find various reading materials that catch your attention. Many articles, reviews, discussions, and descriptions are usually available for almost any topic in any language, and you can choose whatever your heart desires.

While making this book, the aim was to make it a source of fun for you, not only to learn some language stuff but also to have a good time and learn some things about Russian culture and Russian people.

Next, while reading a text in a foreign language, you shouldn't be intimidated by new vocabulary and grammar. Remember: you can have it at your own pace! You don't have to look up *every* new word or unknown expression in the dictionary or grammar book as soon as you encounter it. Although it is highly recommendable to use a good dictionary and a grammar reference when reading, the main thing for a beginner is to get the gist. You can return to a tricky word later, or you can get its meaning from the context of the story—it'll be even better as it gets stuck in your memory much more effectively this way. While reading something big, e.g., a novel, it is recommended that you look up a word if it is really essential for grasping the meaning, or otherwise, if you, say, have encountered this same word more than three times. The same principle works for grammar as well—very often, you can get the idea from the context.

In this book, the list of the key vocabulary for every text is provided, so you can use the items from the list as the stepping stones and later on study other new words in detail. Also, you will find a very close, almost word-for-word English translation for every paragraph that will help if you have any difficulties with grasping the meaning.

Hints and Tips for Reading in Russian

The first good news is that the reading rules in Russian are very simple—nearly all the letters are tightly connected with the sounds they represent. Of course, there are some spelling rules and exceptions, but in most cases, if you know the Russian alphabet and the basics of reading and pronunciation, you can read in Russian with ease.

While reading in Russian, remember that, unlike English, Russian word order isn't *fixed*. Surely, there are some set sentence patterns, but usually, you can easily reorganize the words. Reorganizing may change the emphasis and some stylistic aspects in a sentence, but the basic meaning will not change. So, do not be surprised by the word order and concentrate on the meaning no matter in what combination the words are used.

While reading in Russian, you will inevitably encounter the great and terrifying Russian grammar. It is considered—and justifiably so—to be quite complicated. Unlike English, which is primarily an analytic language and relies heavily on the word order and some special words, Russian is a synthetic language—it uses many inflections or word endings to express grammar and syntactic relationships. Yet, here is some more good news—while reading, you can often get the idea without knowing all the grammatical nuances. Later on, you can return to the grammar concepts that puzzled you and study them more thoroughly. There are a lot of confusing endings—for various grammar cases, genders, plural and singular forms—, but fortunately, you don't have to know all of them to understand a beginner text.

Reading this Particular Book

This book was created to be interesting as well as useful, so here you'll find some texts that have a dynamic plot and provide you with some information about Russian culture and customs.

The texts contain some simple grammar. The grammar isn't the main focus here, but you will learn many helpful grammar aspects in the context—while reading. Also, every text emphasizes some particular grammar issue, e.g., a grammar case, a verb aspect, etc.—and you will see a very brief grammar note under every text explaining it. So, use the grammar notes as a guide to the grammatical element.

There is a close translation into English after every paragraph, so you can check the meaning any time you want. It is not recommended to look at the translation all the time—do it only when you are experiencing some difficulties with understanding. There is also a summary below every text for you to get the main idea.

Vocabulary lists with the key vocabulary items for every text are also provided. You'll see some particular grammar tags used for the items, i.e., (**masc. gender**)/(**fem. gender**)/(**neut. gender**)—for every noun to explain its grammatical gender; (**imperfect**)/(**perfect**)—for every verb to explain its grammatical aspect. All the vocabulary items are, of course, listed in their nominative/infinitive/etc., i.e., their initial form.

Every text contains a small bonus—one idiomatic expression, which is specifically marked in the vocabulary list. Idiomatic expressions are an integral part of any language, and they are great fun to learn as you can study some amusing and unique images and associations connected with the Russian language and culture. Moreover, later on, you can use them in your speech, making it more natural and colorful and impressing your dialogue partners.

It is time to start! Good luck with your reading! Hopefully, you will enjoy this book as well as improve your language skills. Remember: Don't be intimidated by new words and grammatical items—just concentrate on the story and let it carry you on.

Chapter 1 – Рассеянный учёный– The Absent-Minded Scholar

Сергей работал в университете и изучал **физику**. Сергей был большим **учёным**. Учёные часто **рассеянные**, и Сергей тоже был очень рассеянный. Он любил физику, много работал и много думал о **науке** и о работе. У Сергея была проблема – он часто **забывал важные вещи**.

Sergey worked in a university and studied physics. Sergey was a big scholar. Scholars are often absent-minded, and Sergey was also very absent-minded. He loved physics, worked hard, and thought a lot about his science and work. Sergey had a problem—he often forgot important things.

Например, **осенью** он выходил на улицу, начинался **дождь,** и Сергей **вспоминал**, что у него нет **зонтика**. **Зимой** он выходил на улицу и вспоминал, что у него нет **шапки**. **Летом** он забывал свою **шляпу**. Сергей шёл в магазин, брал пакет **кефира** и вспоминал, что у него нет **кошелька**. Он шёл в университет и вспоминал, что у него нет сумки.

For example, in autumn, he went outside, it started raining, and Sergey remembered that he didn't have an umbrella. In winter, he went outside and remembered that he didn't have a warm cap. In summer, he forgot his hat. Sergey went to a shop, took a packet of kefir, and remembered that he didn't have a wallet. He went to university and remembered that he didn't have his bag.

У Сергея был хороший друг Иван. У Ивана не было этой проблемы, он всегда помнил важные вещи. Иван знал о проблеме Сергея и часто говорил ему: «У тебя нет **ежедневника** или **блокнота**. Купи в магазине блокнот, пиши важные вещи в блокноте, и ты не будешь забывать о них». Но Сергей не слушал, он думал: «Да, я рассеянный, но большой проблемы у меня нет».

Sergey had a good friend, Ivan. Ivan didn't have this problem; he always remembered important things. Ivan knew about Sergey's problem and often told him: "You don't have a personal organizer or a notebook. Buy a notebook in a shop, write important things down in the notebook, and you won't forget about them." But Sergey didn't listen. He thought: "Yes, I'm absent-minded, but I don't have a big problem."

Весной Сергей поехал на **конференцию** по физике. Это была важная конференция, и у Сергея был большой интересный **доклад**. Сергей жил в Санкт-Петербурге, а конференция была в Москве. Сергей купил билет в Москву, позвонил в гостиницу, заказал **номер**, купил большой **чемодан**, положил туда вещи.

In spring, Sergey went to a conference on physics. It was an important conference, and Sergey had a big interesting report. Sergey lived in St. Petersburg, and the conference was in Moscow. Sergey bought a ticket to Moscow, called the hotel, ordered a room, bought a large suitcase, and put the things there.

Днём он взял чемодан и **ноутбук** и поехал на **вокзал**, но на вокзале вспомнил, что у него нет паспорта. Чтобы ехать на **поезде**, нужно показать паспорт. Сергей поехал домой, взял паспорт, **опять** поехал на вокзал, но **опоздал** на поезд. Сергей купил новый билет, показал в поезде паспорт и сел на свое место.

In the afternoon, he took the suitcase and the laptop and went to the railway station, but at the station, he remembered that he didn't have his passport. To go by train, it's necessary to show your passport. Sergey went home, took the passport, went to the station again, but he was late and missed his train. Sergey bought a new ticket, showed the passport in the train, and sat down in his seat.

Поезд поехал, и Сергей вспомнил, что у него нет чемодана. У Сергея был ноутбук, но чемодан он забыл дома, когда брал паспорт. Сергей очень **рассердился**. Вечером поезд приехал в Москву, и Сергей поехал в гостиницу. У него были кошелёк и **банковская карта**, поэтому он заплатил за номер. Но в номере он понял, что у него нет **зубной щётки** и **пижамы**, потому что они в чемодане, а чемодан дома.

The train started going, and Sergey remembered that he didn't have his suitcase. Sergey had the laptop, but he forgot the suitcase at home when he took the passport. Sergey got very angry. In the evening, the train arrived in Moscow, and Sergey went to the hotel. He had his wallet and his bank card, so he paid for the room. But in the room, he realized that he didn't have a toothbrush and pajamas because they were in the suitcase, and the suitcase was at home.

Утром Сергей поехал на конференцию. У Сергея был паспорт, и он зарегистрировался на конференции. Там он встретил **коллегу**—хорошего **знакомого**, они говорили о физике, о работе, и Сергей **почти** забыл о чемодане и о своей проблеме. Конференция началась.

In the morning, Sergey went to the conference. Sergey had the passport, and he registered at the conference. There he met a colleague—a good acquaintance. They talked about physics, work, and Sergey almost forgot about the suitcase and his problem. The conference began.

Доклады коллег Сергея были очень интересными, днём все пошли на обед, а **после** обеда был доклад Сергея. Он вышел на **сцену**, громко сказал: «Здравствуйте!» и вспомнил, что у него нет текста доклада. Текст был в чемодане, а чемодан дома в Санкт-Петербурге.

The reports of Sergey's colleagues were very interesting; in the afternoon, everyone went for lunch, and after lunch, there was Sergey's report. He went on the stage, loudly said: "Hello!" and remembered that he didn't have the text of the report. The text was in the suitcase, and the suitcase was at home in St. Petersburg.

Сергей рассердился и **растерялся**. Коллеги смотрели на него. К счастью, Сергей был хорошим учёным, он знал свою **тему** и помнил доклад. Он начал говорить и рассказал о своей **научной** проблеме. Коллеги не поняли, что у Сергея нет текста, но он очень **нервничал**.

Sergey got angry and confused. The colleagues were looking at him. Fortunately, Sergey was a good scholar; he knew his topic and remembered the report. He started talking and told about his scientific problem. The colleagues didn't understand that Sergey had no text, but he was very nervous.

После конференции Сергей поехал в гостиницу и в гостинице вспомнил, что у него опять нет зубной щётки—он забыл её купить. «**Это последняя капля**», – подумал Сергей.

After the conference, Sergey went to the hotel, and at the hotel, he remembered that he again didn't have a toothbrush—he forgot to buy it. "This is the last straw," thought Sergey.

Дома в Санкт-Петербурге Сергей купил большой ежедневник и толстый блокнот. Он подумал, что Иван прав, и у него проблема. Сергей решил, что надо писать обо всех вещах— важных и неважных. Он по-прежнему был очень рассеянным, но хорошо помнил о конференции и о докладе, поэтому утром он теперь всегда писал в блокноте, что нужно взять, а в ежедневнике, что нужно сделать. Сергей рассказал другу Ивану и коллегам о конференции в Москве, о докладе и зубной щётке. Они очень **смеялись**, но очень **радовались**, потому что теперь Сергей не забывал о важных вещах.

At home in St. Petersburg, Sergey bought a large personal organizer and a thick notebook. He thought that Ivan was right, and he had a problem. Sergey decided that it is necessary to write about all things—important and unimportant. He was still very absent-minded, but he remembered about the conference and the report, so in the morning, he now always wrote down what was necessary to take in the notebook, and what was necessary to do in the personal organizer. Sergey told his friend, Ivan, and his colleagues about the conference in Moscow, about the report, and the toothbrush. They laughed very much, but they were very glad because now Sergey didn't forget about important things.

Краткое содержание

Сергей был учёным и изучал физику. Он был очень рассеянный и часто забывал важные вещи. Например, он забывал дома зонтик или шапку. Друг Сергея Иван говорил ему: «У тебя проблема. Купи в магазине блокнот, пиши важные вещи, и ты не будешь забывать о них». Но Сергей думал, что у него нет большой проблемы. Сергей поехал на важную конференцию по физике в Москве. Когда он приехал на вокзал, он вспомнил, что у него нет паспорта. Сергей поехал домой, взял паспорт, поехал на вокзал, но в поезде вспомнил, что у него нет чемодана. В гостинице в Москве Сергей понял, что у него нет зубной щётки и пижамы, потому что они в чемодане. На конференции Сергей встретил коллегу и почти забыл о чемодане. Но когда был доклад Сергея, он вышел на сцену и вспомнил, что у него нет текста доклада. Текст был в чемодане. Сергей очень нервничал. Коллеги смотрели на него. К счастью, Сергей был хорошим учёным и помнил доклад. Коллеги не поняли, что у него нет текста. Дома Сергей купил себе большой ежедневник и толстый блокнот. Он по-прежнему был рассеянным, но теперь всегда писал в блокноте и ежедневнике о важных вещах. Друзья Сергея очень радовались, потому что теперь он не забывал о важных вещах.

Summary

Sergey was a scholar and studied physics. He was very absent-minded and often forgot important things. For example, he forgot an umbrella or a warm cap at home. Sergey's friend, Ivan, told him: "You have a problem. Buy a notebook in a shop, write down important things, and you won't forget about them." But Sergey thought that he didn't have a big problem. Sergey went to an important conference on physics in Moscow. When he arrived at the station, he remembered that he didn't have his passport. Sergey went home, took the passport, went to the station, but in the train, he remembered that he didn't have the suitcase. At a hotel in Moscow, Sergey understood that he didn't have a toothbrush and pajamas because they were in the suitcase. At the conference, Sergey met a colleague and almost forgot about the suitcase. But when there was to be the report by Sergey, he went on the stage and remembered that he didn't have the text of the report. The text was in the suitcase. Sergey was very nervous. The colleagues looked at him. Fortunately, Sergey was a good scholar and remembered the report. The colleagues didn't understand that he had no text. At home, Sergey bought a personal organizer and a thick notebook. He was still absent-minded, but now he always wrote important things down in the notebook and organizer. Sergey's friends were very glad because now he didn't forget about important things.

Grammar note

You will find a lot of expressions with the **Genitive Case** – **Родительный падеж** – in this text. It has many meanings, but the most basic meaning is for describing possession or ownership of some kind or absence of one. So, concentrate on the phrases *Someone had/didn't have something.*

Лексика – Vocabulary

Физика (fem. gender) – Physics

Учёный – Scholar, scientist

Рассеянный – Absent-minded

Наука (fem. gender) – Science

Забывать (imperfect)\ забыть (perfect) – Forget

Важный – Important

Вещь (fem. gender) – Thing, issue

Осень (fem. gender) \ осенью – Autumn\in the autumn

Дождь (masc. gender) – Rain

Вспоминать (imperfect) – вспомнить (perfect) – Remember

Зонтик (masc. gender) – Umbrella

Зима (fem. gender)\ зимой – Winter\in winter

Шапка (fem. gender) – Warm cap

Лето (neut. gender) \ летом – Summer\in summer

Шляпа (fem. gender) – Hat

Кефир (masc. gender) – Kefir: a traditional Russian drink made from fermented milk

Кошелёк (masc. gender) – Wallet

Ежедневник (masc. gender) – Personal organizer

Блокнот (masc. gender) – Notebook

Весна (fem. gender) \ весной – Spring\in spring

Конференция (fem. gender) – Conference

Доклад (masc. gender) – Report

Номер (masc. gender) – Hotel room

Чемодан (masc. gender) – Suitcase

День (masc. gender)\ днём – Day\in the afternoon

Ноутбук (masc. gender) – Laptop

Вокзал (masc. gender) – Railroad station

Поезд (masc. gender) – Train

Опять – Again

Опоздать (perfect) – Be late, miss something because of being late

Рассердиться (perfect) – Get angry

Банковская карта (fem. gender) – Bank card

Зубная щётка (fem. gender) – Toothbrush

Пижама (fem. gender) – Pajamas

Коллега (fem. \ masc. gender) – Colleague

Знакомый – Acquaintance

Почти – Almost

После – After

Сцена (fem. gender) – Stage

Растеряться (perfect) – Be at a loss

Тема (fem. gender) – Topic

Научный – Scientific

Нервничать (imperfect) – Be nervous

Это последняя капля – **Idiomatic expression**: the last straw; literally the last drop

Смеяться (imperfect) – Laugh

Радоваться (imperfect) – Be glad

Вопросы

1. Где работал Сергей?

2. Когда Сергей поехал на конференцию по физике?

3. Где была конференция?

4. Кого Сергей встретил на конференции?

5. Почему радовались друг Иван и коллеги Сергея?

6. Сергей часто забывал…

А. Физику

Б. Важные вещи

В. Кефир в магазине

7. Что Иван говорил купить Сергею?

А. Кефир

Б. Зонтик

В. Блокнот

8. Что вспомнил Сергей на вокзале?

А. Что у него нет паспорта

Б. Что у него нет ноутбука

В. Что у него нет текста доклада

9. Сергей был хорошим учёным и помнил…

А. Свою тему и доклад

Б. Номер банковской карты

В. Коллегу

10. Что Сергей всегда писал в блокноте?

А. Что нужно купить

Б. Что нужно взять

В. Куда нужно не опоздать

Ответы

1. В университете.

2. Весной.

3. В Москве.

4. Коллегу и знакомого.

5. Потому что теперь Сергей не забывал о важных вещах

6. Б.

7. В.

8. А.

9. А.

10. Б.

Questions

1. Where did Sergey work?

2. When did Sergey go to the physics conference?

3. Where was the conference?

4. Who did Sergey meet at the conference?

5. Why were Sergey's friend, Ivan, and colleagues glad?

6. Sergey often forgot...

A. Physics

B. Important things

C. Kefir in a shop

7. What did Ivan tell Sergey to buy?

A. Kefir

B. An umbrella

C. A notebook

8. What did Sergey remember at the railway station?

A. That he didn't have his passport

B. That he didn't have his laptop

C. That he didn't have the text of his report

9. Sergey was a good scholar and remembered…

A. His topic and his report

B. The number of his bank card

C. His colleague

10. What did Sergey always write down in his notebook?

A. What was necessary to buy

B. What was necessary to take

C. Where it was necessary not to be late

Answers

1. In a university.

2. In spring.

3. In Moscow.

4. His colleague and acquaintance.

5. Because now Sergey didn't forget about important things.

6. B.

7. C.

8. A.

9. A.

10. B.

Chapter 2 – Новогодний подарок – The New-Year Present

Сёстры-**близнецы** Аня и Лена жили в большом городе с мамой и папой. Ане и Лене было семь лет, и они ходили в школу. Обычно сёстры очень **дружили** и редко **спорили и ссорились**.

The twin sisters, Anya and Lena, lived in a big city with their mom and dad. Anya and Lena were seven years old, and they went to school. Usually, the sisters were very friends and rarely argued and quarreled.

Зимой девочки **ждали Новый год**. В прошлом году зимой мама купила Ане и Лене билет на **Ёлку**. Ёлка – это **новогоднее** дерево и название детского **праздника**. На Ёлке-празднике сёстры пели песни, танцевали и играли с красивой актрисой в костюме **Снегурочки**. Им было очень весело.

In winter, the girls were waiting for the New Year. Last year in winter, Mom bought Anya and Lena a ticket for Yolka. Yolka is a Christmas tree and the name of a children's New-Year party. At the children's New-Year party, the sisters sang songs, danced, and played with a beautiful actress in the costume of Snegurochka. They had a lot of fun.

А большая ёлка-дерево стояла в прошлом году дома в гостиной. Бабушка достала **полосатую** красно-синюю коробку, вынула красивые **украшения**—яркие **гирлянды**, **разноцветные шары** и **фонарики**—и дала Ане и Лене, и они вместе **украшали** ёлку.

And a big yolka-Christmas tree stood last year at home in the living room. The grandma took out a striped red and blue box, took out beautiful ornaments—bright garlands, multicolored globes, and fairy lights—and gave them to Anya and Lena, and together they decorated the Christmas tree.

Сёстры знали, что в Новый год приходят **Дед Мороз** и Снегурочка и **дарят** детям **подарки**. Осенью они даже написали Деду Морозу письмо и положили его в холодильник. Мама сказала им, что Дед Мороз получит его по **волшебной** почте.

The sisters knew that Ded Moroz and Snegurochka give children presents at New Year. In autumn, they even wrote a letter to Ded Moroz and put it onto the refrigerator. Mom told them that Ded Moroz would receive it via magical mail.

В прошлом году Дед Мороз подарил Ане и Лене большие красные велосипеды. Девочки тоже подарили всем подарки— **снежинки** из разноцветной бумаги. В этом году близнецы решили **нарисовать** красивые картинки: папе слона, маме букет цветов, дедушке и бабушке большой **корабль**.

Last year, Ded Moroz gave Anya and Lena big red bicycles. The girls also gave everyone presents—snowflakes from multicolored paper. This year, the twins decided to draw beautiful pictures: an elephant for Dad, a bouquet of flowers for Mom, a big ship for Granddad and Grandma.

Однажды в декабре мама ушла в магазин, и девочки были дома **одни**. Они начали вспоминать, где лежала полосатая красно-синяя коробка с украшениями. Лена говорила, что коробка лежит в шкафу, а Аня говорила, что коробка лежит под кроватью. Сёстры начали спорить, а потом решили найти коробку и посмотреть, кто прав.

Once in December, Mom went to a shop, and the girls were home alone. They began to remember where the striped red and blue box with the ornaments lay. Lena said that the box lay in the closet, and Anya said that the box lay under the bed. The sisters began to argue and then decided to find the box and see who was right.

В спальне папы и мамы девочки нашли другую коробку—жёлто-зелёную. Лена открыла её и увидела большую красивую **куклу**. У куклы было фиолетовое платье, длинные светлые волосы и большие голубые глаза.

In Dad and Mom's bedroom, the girls found another box—yellow and green. Lena opened it and saw a large beautiful doll. The doll had a purple dress, long blonde hair, and large blue eyes.

«Красивая кукла! сказала Лена. «Это подарок Деда Мороза. Наверное, он пришёл **раньше** и положил её здесь». «Это мой подарок, – сказала Аня. – Я писала Деду Морозу в письме, что хочу куклу». Но Лене кукла тоже понравилась. «Нет, – сказала она, – это мой подарок. Я тоже писала Деду Морозу о кукле с голубыми глазами!»

"Beautiful doll! said Lena. "This is Ded Moroz's gift. Probably, he came earlier and put it here."

"This is my gift," said Anya. "I wrote in a letter to Ded Moroz that I wanted a doll." But Lena also liked the doll. "No," she said, "this is my gift. I also wrote to Ded Moroz about a doll with blue eyes!"

Девочки начали спорить. «Моя кукла!» – громко **кричала** Лена. «Нет! Моя!» – кричала Аня. Лена **тянула левую** руку куклы, а Аня тянула **правую** руку. Фиолетовое платье порвалось. Девочки сидели на полу, и в руке Лены был один **кусок** платья, а в руке Ани – другой кусок платья. **Голая** кукла лежала на полу.

The girls began to argue. "My doll!" Lena shouted loudly. "No! Mine!" Anya shouted. Lena was pulling the doll's left hand, and Anya was pulling the right hand. The purple dress tore. The girls were sitting on the floor, and in Lena's hand, there was one piece of the dress, and in Anya's hand, there was another piece of the dress. The naked doll lay on the floor.

Сёстры начали **плакать**. Открылась дверь – пришла из магазина мама. Она услышала громкий **плач**, побежала в спальню и увидела голую куклу и девочек с кусками платья. Мама быстро поняла ситуацию. Она сказала: «**Вот тебе и раз!** Зачем вы **порвали** платье? Эта кукла—подарок, мы с папой купили её вашей двоюродной сестре Лизе. Что мы теперь будем ей дарить? **Бедная Лиза**».

The sisters began to weep. The door opened—Mom came from the shop. She heard a loud weeping, ran into the bedroom, and saw the naked doll and the girls with the pieces of the dress. Mom quickly understood the situation. She said: "There you go! Why have you torn the dress? This doll is a gift; me and dad bought it for your cousin, Lisa. What will we give her now? Poor Lisa."

Ане с Леной было очень **стыдно**. Они перестали плакать и смотрели на куклу и на **сердитую** маму. Девочки ушли в комнату и начали думать, что дарить Лизе. Пришёл папа с ёлкой, но **настроение** в доме было грустное.

Anya and Lena were very embarrassed. They stopped weeping and were looking at the doll and angry Mom. The girls went to the room and began to think what to give to Lisa. Dad came with the Christmas tree, but the mood in the house was sad.

Утром в Новый год Аня и Лена сказали маме: «Мы просили Деда Мороза о кукле. Дед Мороз принесёт нам две куклы. Одну мы подарим Лизе». Мама была очень рада, что девочки не ссорятся и хотят подарить свою куклу.

In the morning at the New Year, Anya and Lena told their mom: "We asked Ded Moroz for a doll. Ded Moroz will bring us two dolls. We will give one to Lisa." Mom was very glad that the girls didn't quarrel and wanted to give their doll.

После завтрака пришли бабушка и дедушка. Они вместе приготовили **праздничный** ужин, нашли красно-синюю коробку (она лежала в кладовке), взяли шары, гирлянды и фонарики и украшали ёлку. Вечером ели вкусный ужин.

After breakfast, Grandma and Granddad came. Together, they prepared the festive dinner, found the red and blue box (it lay in the pantry), took the globes, garlands, and fairy lights, and decorated the Christmas tree. In the evening, they ate the delicious dinner.

Потом мама сказала: «Девочки, посмотрите под ёлкой—Дед Мороз принёс вам подарки!» Лена и Аня посмотрели под ёлкой—там лежали две жёлто-зелёных коробки. Сёстры открыли их и увидели куклы. У Леня была кукла в оранжевом платье, а у Ани – в бежевом платье.

Then Mom said: "Girls, look under the Christmas tree—Ded Moroz has brought you the presents!" Lena and Anya looked under the Christmas tree—there lay two yellow and green boxes. The sisters opened them and saw dolls. Lenya had a doll in an orange dress, and Anya had a doll in a beige dress.

Куклы были очень красивые. Девочки начали **советоваться** какую куклу подарить Лизе, но мама сказала: «Я очень рада, что вы не ссоритесь и хотите подарить куклу Лизе, поэтому я попросила бабушку—у неё тоже есть подарок». Бабушка показала новое фиолетовое платье для куклы Лизы—она **сшила** его утром, когда мама сказала ей о проблеме. Мама сказала, что можно дарить Лизе куклу в новом платье. Девочки были очень рады, и семья в хорошем настроении поехала в центр города смотреть новогодний **фейерверк**.

The dolls were very beautiful. The girls began to counsel what doll to give to Lisa, but Mom said: "I'm very glad that you aren't quarreling and want to give the doll to Lisa, so I asked Grandma—she also has a present." Grandma showed a new purple dress for Lisa's doll—she had sewed it in the morning when Mom told her about the problem. Mom said that they could give Lisa the doll in the new dress. The girls were very glad, and the family went to the city center to watch the New Year's fireworks in a good mood.

Краткое содержание

Сёстры-близнецы Аня и Лена жили в большом городе и ходили в школу. Зимой они ждали Новый год. Они вспоминали прошлый год—подарки, новогоднюю ёлку, праздник и Деда Мороза. Девочки написали Деду Морозу письмо. В декабре мама и папа ушли, а девочки были дома одни. Они решили найти коробку с украшениями, но нашли другую коробку—в коробке лежала красивая кукла. Лена подумала, что это её подарок, а Аня что её, потому что девочки писали в письме Деду Морозу о куклах. Сёстры начали ссориться и тянуть куклу, и платье куклы порвалось. Пришла мама, увидела голую куклу и сказала, что эта кукла – подарок двоюродной сестре Лизе. Лене и Ане было очень стыдно. Они решили подарить Лизе свой новогодний подарок—куклу. В Новый Год пришли бабушка и дедушка, они украшали ёлку, готовили праздничный ужин и вечером дарили подарки. Ане и Лене подарили две куклы. Они хотели дать одну куклу Лизе, но бабушка тоже подарила им подарок—она сшила новое платье для куклы Лизы. Девочки были очень рады, и семья поехала смотреть новогодний фейерверк.

Summary

The twin-sisters, Anya and Lena, lived in a big city and went to school. In winter, they waited for the New Year. They remembered the last year—the gifts, the Christmas tree, the celebration, and Ded Moroz. The girls wrote a letter to Ded Moroz. In December, Mom and Dad left, and the girls were home alone. They decided to find the box with ornaments, but found another box—a beautiful doll lay in the box. Lena thought it was her gift, and Anya thought it was hers because the girls wrote in a letter to Ded Moroz about dolls. The sisters began to quarrel and pull the doll, and the doll's dress tore. Mom came, saw the naked doll, and said that this doll was a gift to the cousin, Lisa. Lena and Anya were very embarrassed. They decided to give Lisa their New Year's gift—a doll. Grandma and Granddad came at New Year; they decorated the Christmas tree, prepared a festive dinner, and in the evening, gave gifts. Anya and Lena were given two dolls. They wanted to give one doll to Lisa, but Grandma also gave them a gift—she had sewed a new dress for Lisa's doll. The girls were very glad, and the family went to watch the New Year's fireworks.

Grammar note

You will find many expressions with the **Dative Case** – **Дательный падеж** – in this text. The basic idea of Dative Case is addressing someone, e.g., you use it with the verbs that mean *speak* or *give* for the nouns or pronouns expressing the addressee of the action.

Лексика – Vocabulary

Близнец(masc. gender) – Twin

Дружить (imperfect) – Be friends

Спорить (imperfect) – Argue

Ссориться (imperfect) – Quarrel

Ждать (imperfect) – Wait

Новый год (masc. gender) – New Year

Ёлка (fem. gender) – Christmas tree or a special New-Year event for children

Новогодний – Connected with New Year

Праздник (masc. gender) – Festival, celebration

Снегурочка (fem. gender) – Snegurochka: literally Snowmaid, a mythical Russian character, who is usually connected with the New-Year celebrations

Полосатый – Striped

Украшение (neut. gender) – Ornament

Гирлянда (fem. gender) – Garland

Разноцветный – Multicolored

Шар (masc. gender) – Globe

Фонарики– Fairy lights

Украшать (imperfect) – Decorate

Дед Мороз (masc. gender) – Ded Moroz: literally Grandfather Frost, a mythical Russian character, who is connected with the New-Year celebrations

Дарить\ Подарить (imperfect \ perfect) – Make a gift

Подарок (masc. gender) – Gift

Волшебный – Magical

Снежинка (fem. gender) – Snowflake

Нарисовать (perfect) – Draw, paint

Корабль (masc. gender) – Ship

Один – Alone, one

Кукла (fem. gender) – Doll

Раньше – Earlier

Кричать (imperfect) – Shout, cry

Тянуть (imperfect) – Pull

Левый – Left

Правый – Right

Кусок (masc. gender) – Piece

Голый – Naked

Плакать (imperfect) – Weep

Плач (masc. gender) – Weeping

Вот тебе и раз – **Idiomatic expression**: there you go, used to express emotions for something unexpected and not very pleasant

Порвать (perfect) – Tear

Бедный – Poor

Стыдно – Embarrassed

Сердитый – Angry

Настроение (neut. gender) – Mood

Праздничный – Festive

Советоваться (imperfect) – Counsel

Сшить (perfect) – Sew

Фейерверк (masc. gender) – Firework

Вопросы

1. Сколько лет близнецам?

2. Кто дарит детям подарки в Новый год?

3. Что решили найти сёстры, когда мама ушла в магазин?

4. Подарок кому лежал в жёлто-зелёной коробке?

5. Кто сшил новое фиолетовое платье куклы?

6. Ёлка – это…

А. Название фейерверка

Б. Новогоднее дерево

В. Гирлянда

7. Что увидела Лена в жёлто-зелёной коробке?

А. Куклу

Б. Велосипед

В. Фонарики

8. Сёстры решили подарить Лизе…

А. Снежинку

Б. Картинку

В. Свою куклу

9. Где лежали украшения?

А. В жёлто-зелёной коробке

Б. В разноцветной коробке

В. В красно-синей коробке

10. Что подарил Дед Мороз Ане и Лене в этот Новый Год?

А. Велосипеды

Б. Куклы

В. Слона

Ответы

1. Семь

2. Дед Мороз и Снегурочка

3. Коробку с украшениями

4. Двоюродной сестре Лизе

5. Бабушка

6. Б.

7. А.

8. B.

9. B.

10. Б.

Questions

1. How old are the twins?

2. Who gives children gifts at the New Year?

3. What did the sisters decide to find when Mom went to a shop?

4. A gift to whom was lying in the yellow and green box?

5. Who sewed the new purple dress for the doll?

6. Yolka is...

A. The name of the fireworks

B. A New-Year tree

C. A garland

7. What did Lena see in the yellow and green box?

A. A doll

B. A bike

C. Fairy lights

8. The sisters decided to give Lisa...

A. A snowflake

B. A picture

C. Their doll

9. Where did the ornaments lie?

A. In the yellow and green box

B. In the multicolored box

C. In the red and blue box

10. What did Ded Moroz give to Anya and Lena this New Year?

A. Bicycles

B. Dolls

C. An elephant

Answers

1. Seven

2. Ded Moroz and Snegurochka

3. The box with ornaments

4. Cousin Lisa

5. Grandma

6. B.

7. A.

8. C.

9. C.

10. B.

Chapter 3 – В театре – At the Theater

Михаил и Ирина, брат и сестра, жили в Санкт-Петербурге. Михаил работал **бухгалтером**, он любил читать книги и смотреть фильмы, а Ирина любила слушать музыку. Она была **музыкантом** и играла на **скрипке**.

Mikhail and Irina, brother and sister, lived in St. Petersburg. Mikhail worked as an accountant, he liked reading books and watching films, and Irina loved listening to music. She was a musician and played the violin.

Ирина часто ходила слушать **концерты** и **оперу** в театр и **приглашала** Михаила, но он обычно не хотел идти с ней. Он не понимал музыку и не любил её. «У меня много работы», – говорил он. Или «У меня **командировка**». Михаил думал, что все оперные певицы **толстые**, **сюжеты** в опере глупые, а сидеть и слушать её – очень скучно.

Irina often went to listen to concerts and opera at the theater and invited Mikhail, but he usually didn't want to go with her. He didn't understand music and didn't like it. "I have a lot of work," he would say. Or "I have a business trip." Mikhail thought that all opera singers were fat, opera plots are stupid, and sitting and listening to it is very boring.

В Санкт-Петербурге много хороших театров. Ирина ходила в разные театры, но очень любила Мариинский, это был её любимый театр. Она всегда читала **афишу**, смотрела информацию о концертах и покупала хорошие билеты.

There are many good theaters in St. Petersburg. Irina went to various theaters, but she loved the Mariinsky very much; it was her favorite theater. She always read the event poster, looked up the concert information, and bought good tickets.

Летом подруга сказала Ирине о хорошей опере в сентябре. Ирина купила дорогие билеты в **партер** и сказала Михаилу: «У меня в сентябре день рождения, подари мне подарок—пойдём вместе в оперу». Михаил любил свою сестру и решил сделать ей этот подарок.

In summer, a friend told Irina about a good opera in September. Irina bought expensive tickets for the stalls and told Mikhail: "It's my birthday in September, give me a present—let's go to the opera together." Mikhail loved his sister and decided to give her this present.

В сентябре Михаил надел чёрный костюм, купил цветы и **шарф**—подарок Ирине и поехал в театр. Ирина ждала около театра, билеты были у неё. Он поехал **заранее**, но забыл, что театр в центре города, а вечером в центре **пробки**. Михаил долго стоял в пробке.

In September, Mikhail put on a black suit, bought flowers, and a scarf—the gift to Irina and went to the theater. Irina was waiting near the theater; she had the tickets. He set off in advance, but he forgot that the theater was in the city center, and in the evening, there were traffic jams in the center. Mikhail was stuck in a traffic jam for a long time.

Михаил позвонил Ирине и сказал, что опаздывает. Ирина огорчилась. Она сказала, что в театре **звенит** первый **звонок**. Перед концертом, балетом или оперой в театре звенят три звонка. Первый звонок значит, что **представление** начнётся через пятнадцать минут. Второй звонок значит, что представление начнётся через пять минут. Третий звонок значит, что представление начинается сейчас и двери в **зале** закрываются.

Mikhail called Irina and said that he was late. Irina was upset. She said that the first bell is ringing in the theater. Before a concert, ballet or opera, three bells ring in the theater. The first bell means that the performance will begin in fifteen minutes. The second bell means that the performance will begin in five minutes. The third bell means that the performance is beginning now, and the doors in the concert hall are closing.

Ирина сказала Михаилу, что надо **торопиться**. После третьего звонка двери закроются, и он не сможет найти в партере своё место. Михаил ответил, что очень торопится. Но около театра он увидел, что все места для **парковки** заняты, и долго искал парковку. Ирина позвонила и сказала, что в театре звенит третий звонок. Она дала билет Михаила **консьержу** и пошла на своё место в партере.

Irina told Mikhail that it was necessary to hurry up. After the third bell, the doors will close, and he will not be able to find his place in the stalls. Mikhail replied that he was hurrying up. But near the theater, he saw that all the parking lots were occupied and he was looking for a parking lot for a long time. Irina called and said that the third bell was ringing in the theater. She gave Mikhail's ticket to the doorkeeper and went to her place in the stalls.

Михаил нашёл свободное место, припарковал машину и побежал в театр. Он нервничал, его костюм **помялся**, цветы и шарф он забыл в машине. Михаил взял билет у консьержа, но после третьего звонка двери в зал закрылись, и Михаил не мог сесть на своё место в партере около Ирины.

Mikhail found an empty lot, parked the car, and ran to the theater. He was nervous, his suit got crumpled, and he forgot the flowers and the scarf in the car. Mikhail took the ticket from the doorkeeper, but after the third bell, the doors to the concert hall were closed, and Mikhail could not take his place in the stalls near Irina.

В зале было темно. **Сотрудник** театра проводил Михаила на **третий ярус** и сказал: «Идите на свободное место. Когда будет **антракт**, идите на своё место в партере, а сейчас сидите тут». Было темно, и Михаил **наступил на ногу** сердитой женщине. Михаил сказал: «Извините», но ему было стыдно. Он сел на свободное место (это было очень **неудобное** место), и у него в кармане громко **зазвенел** мобильный телефон. Он забыл его выключить. Люди около Михаила смотрели на него очень-очень сердито. Михаил выключил мобильный телефон и подумал: «**Ужасный** день. **Ненавижу** оперу. Я очень люблю Ирину, но не хочу ходить в театр».

It was dark in the concert hall. A theater employee led Mikhail to the upper circle and said: "Go to an empty seat. When there is an intermission, go to your place in the stalls, and now sit here." It was dark, and Mikhail stepped on the foot of an angry woman. Mikhail said, "Sorry," but he was ashamed. He sat down on an empty seat (it was a very uncomfortable seat), and his mobile phone rang loudly in his pocket. He had forgot to turn it off. People around Mikhail looked at him very-very angrily. Mikhail turned off his mobile phone and thought: "It's a terrible day. I hate opera. I love Irina very much, but I don't want to go to the theater."

На сцене было большое синее **озеро**. Михаил подумал: «Глупые **декорации**!» Но на сцену вышла девушка. Она не была толстой; она была очень красивой. **Певица** начала петь. Это было **как снег на голову**. Михаил забыл о глупом озере, об ужасных декорациях, о мобильном телефоне, о парковке, о пробке на дороге, о неудобном месте и о сердитой женщине. Когда **ария** закончилась, Михаил понял, что он плачет.

There was a big blue lake on stage. Mikhail thought: "Stupid setting!" But a girl walked out on the stage. She wasn't fat; she was very beautiful. The singer began to sing. It was very unexpected. Mikhail forgot about the stupid lake, the terrible setting, the mobile phone, the parking lot, the traffic jam, the uncomfortable place, and the angry woman. When the aria ended, Mikhail realized that he was weeping.

В антракте он встретил Ирину и извинился. Второе **отделение** они вместе смотрели в партере. Это было очень большое **впечатление** для Михаила.

At intermission, he met Irina and apologized. They watched the second part of the performance together in the stalls. It was a very big impression for Mikhail.

После оперы Михаил взял в машине цветы и шарф и поздравил Ирину с днём рождения. Они поехали в ресторан и говорили о красивой певице. После того вечера Михаил и Ирина часто ходили в театр вместе. Михаил начал увлекаться музыкой, и в его жизни появился важный новый интерес.

After the opera, Mikhail took the flowers and the scarf in the car and congratulated Irina for her birthday. They went to a restaurant and talked about the beautiful singer. After that evening, Mikhail and Irina often went to the theater together. Mikhail began to get engaged in music, and an important new interest appeared in his life.

Краткое содержание

Брат и Сестра Михаил и Ирина жили в Санкт-Петербурге. Михаил работал бухгалтером и не любил музыку, а Ирина была музыкантом, играла на скрипке и ходила слушать концерты и оперу в театр. Она часто приглашала Михаила, но он обычно не хотел идти. Летом Ирина узнала о хорошей опере. Она купила дорогие билеты и попросила Михаила сделать ей подарок и пойти с ней, потому что у неё день рождения. В сентябре Михаил купил цветы и подарок Ирине и поехал в театр. Он опоздал, потому что стоял в пробке, а потом долго искал место для парковки. В театре прозвенел третий звонок, Ирина отдала билет Михаила консьержу и пошла на своё место, потому что после третьего звонка двери в театре закрываются. Михаил нервничал. Сотрудник театра проводил его на третий ярус. Михаил наступил на ногу женщине, у него в кармане громко зазвонил мобильный телефон, люди сердито смотрели на Михаила, и ему было стыдно, Михаилу не нравились декорации. Но потом вышла красивая певица и начала петь. Это было очень большое впечатление, и Михаил забыл о своих проблемах. В антракте он встретил Ирину и извинился. После оперы брат и сестра говорили об опере и о певице. Михаил начал увлекаться музыкой, и потом они с Ириной часто ходили в театр вместе.

Summary

Brother and sister, Mikhail and Irina, lived in St. Petersburg. Mikhail worked as an accountant and didn't like music, and Irina was a musician, played the violin, and went to listen to concerts and opera in the theater. She often invited Mikhail, but he usually didn't want to go. In the summer, Irina learned about a good opera. She bought expensive tickets and asked Mikhail to give her a present—to go with her because she had a birthday. In September, Mikhail bought flowers and a gift for Irina and went to the theater. He was late because he was stuck in a traffic jam, and then he was looking for a parking lot for a long time. The third bell rang in the theater; Irina gave Mikhail's ticket to the doorkeeper and went to her place because, after the third bell, the doors in the theater are closed. Mikhail was nervous. A theater employee led him to the upper circle. Mikhail stepped on a woman's toe, his cell phone rang loudly in his pocket, the people looked angrily at Mikhail, and he was embarrassed, Mikhail didn't like the setting. But then a beautiful singer came out and began to sing. It was a very big impression, and

Mikhail forgot about his problems. At intermission, he met Irina and apologized. After the opera, the brother and sister talked about the opera and the singer. Mikhail began to get engaged in music, and then he and Irina often went to the theater together.

Grammar note

You will find many expressions with the **Accusative Case** – **Винительный падеж** – in this text. One of the most basic functions of the Accusative Case is expressing the direct object of an action.

Лексика – Vocabulary

Бухгалтер (masc. gender) – Accountant

Музыкант (masc. gender) – Musician

Скрипка (fem. gender) – Violin

Концерт (masc. gender) – Concert

Опера (fem. gender) – Opera

Приглашать (imperfect) – Invite

Командировка (fem. gender) – Business trip

Толстый – Fat

Сюжет (masc. gender) – Plot, story

Афиша (fem. gender) – Event poster

Партер (masc. gender) – Stalls

Шарф (masc. gender) – Scarf

Заранее – In advance

Пробка (fem. gender) – Traffic jam

Звенеть \ зазвенеть (imperfect \ perfect) – Ring

Представление (neut. gender) – Performance

Зал (masc. gender) – (concert) Hall

Торопиться (imperfect) – Hurry up

Парковка (fem. gender) – Parking

Консьерж (masc. gender) – Doorkeeper

Помяться (perfect) – Get crumpled

Сотрудник (masc. gender) – Employee

Третий ярус (masc. gender) – Upper circle

Антракт (masc. gender) – Intermission

Наступить на ногу (perfect) – Step on someone's foot

Неудобный – Uncomfortable

Ужасный – Terrible

Ненавидеть (imperfect) – Hate

Озеро (neut. gender) – Lake

Декорация (fem. gender) – Setting

Певица (fem. gender) – Singer (this word is only used for women)

Как снег на голову – **Idiomatic**: literally as snow on someone's head; very unexpectedly

Ария (fem. gender) – Aria

Отделение (neut. gender) – Act, performance part

Впечатление (neut. gender) – Impression

Вопросы

1. Куда Ирина часто приглашала Михаила?

2. Какой театр был любимым театром Ирины?

3. Кому Ирина дала билет Михаила?

4. Где были места Ирины и Михаила?

5. Куда поехали Ирина и Михаил после театра?

---

6. Кем работала Ирина?

А. Бухгалтером

Б. Певицей

В. Музыкантом

7. Михаил думал, что все оперные певицы…

А. Толстые

Б. Глупые

В. Ужасные

8. Что значит третий звонок?

А. Представление не начинается

Б. Нельзя опаздывать

В. Представление начинается и двери закрываются

9. Что подарил Михаил Ирине на день рождения?

А. Мобильный телефон

Б. Билет

В. Шарф

10. Какое было большое впечатление Михаила?

А. Пробка на дороге

Б. Певица и её ария

В. Командировка

Ответы

1. В театр

2. Мариинский театр

3. Консьержу

4. В партере

5. В ресторан

6. В.

7. А.

8. В.

9. В.

10. Б.

Questions

1. Where did Irina often invite Mikhail?

2. What theater was Irina's favorite one?

3. Whom did Irina give Mikhail's ticket to?

4. Where were Irina and Mikhail's seats?

5. Where did Irina and Mikhail go after the theater?

6. What was Irina's profession?

A. Accountant

B. Singer

C. Musician

7. Mikhail thought that all opera singers were...

A. Fat

B. Stupid

C. Terrible

8. What does the third bell mean?

A. The performance doesn't start

B. You can't be late

C. The performance is starting and the doors are closing

9. What did Mikhail give Irina for her birthday?

A. A mobile phone

B. A ticket

C. A scarf

10. What was Mikhail's big impression?

A. The traffic jam

B. The singer and her aria

C. A business trip

Answers

1. To the theater

2. Mariinsky theater

3. To the doorkeeper

4. In the stalls

5. To a restaurant

6. C.

7. A.

8. C.

9. C.

10. B.

Chapter 4 – Идеальная работа – An Ideal Job

Юля жила в Новосибирске с мамой и папой. Она ходила в школу, изучала музыку в музыкальной школе и ходила на курсы **рисования**. У Юли был старший брат Федя, он работал **программистом**. Федя **окончил** университет, у него была хорошая, интересная работа и семья—жена Саша и маленькие дети мальчик Антон и девочка Оля. Юля и Федя дружили.

Yulia lived in Novosibirsk with her mom and dad. She went to school, studied music at a music school, and attended drawing courses. Yulia had an elder brother, Fedya; he worked as a programmer. Fedya had graduated from the university, he had a good, interesting job, and a family—his wife, Sasha, and small children, the boy Anton and the girl Olya. Yulia and Fedya were friends.

После школы Юля не могла **выбрать** профессию. В школе у неё были хорошие **оценки**, она интересовалась **историей**, **математикой**, **искусством** и музыкой, но не знала, в какой университет **поступать**. Сначала Юля решила, что она хочет, как старший брат, стать программистом и изучать в университете математику и информатику.

After school, Yulia couldn't choose her profession. At school, she had good marks, she was interested in history, mathematics, art, and music, but she didn't know what university to enter. First, Yulia decided that she wanted to become a computer programmer, like her elder brother, and to study mathematics and computer science at university.

«Я люблю математику,»сказала Юля.

Брат и сестра сидели в **квартире** Феди в гостиной, **на коленях** у Юли **прыгал** маленький **племянник**, а маленькая **племянница** причёсывала ей волосы.

«Программист это **престижная** профессия, **зарплата** обычно хорошая, и это интересно, да?»

«Да,» согласился Федя, он любил свою профессию. »Но **есть одно но**—программист много работает с компьютером и мало **общается** с людьми. Я интроверт, мне это нравится, но тебе будет скучно. Тебе не **мешают** Оля и Антон? »

«Нет, не мешают, » засмеялась Юля. «Я очень люблю с ними **играть**. У тебя замечательные дети! Да, я экстраверт. Но мне нравится математика, надо **попробовать**.»

"I love math," said Yulia. The brother and sister were sitting in Fedya's apartment in the living room. The little nephew was jumping on Yulia's lap, and the little niece was combing her hair.

"A programmer is a prestigious profession, the salary is usually good, and this is interesting, isn't it?"

"Yes," Fedya agreed; he loved his profession. "But there is a catch— a programmer works with computers a lot and communicates little with people. I am an introvert, I like it, but you'll be bored. Aren't Olga and Anton bothering you?"

"No, they do not bother me." Yulia laughed. "I really like playing with them. You have wonderful children! Yes, I'm an extrovert. But I like math; I have to try."

Юля поступила в университет на **отделение информатики**. Она была хорошей студенткой. Юля интересовалась математикой, у неё были хорошие оценки на экзаменах, но ей **действительно** было скучно. Юля понимала, что это не её профессия.

Yulia entered the university at the computer science department. She was a good student. Yulia was interested in math, she had good exam marks, but she really was bored. Yulia understood that this wasn't her profession.

Через год после **поступления** в университет они опять сидели в квартире Феди. Юля помогала Оле и Антону рисовать картинку и разговаривала с Федей.

«Ты прав, мне скучно, и я не хочу заниматься программированием. Но я не знаю, кем я хочу стать.»

Федя очень хотел помочь сестре.

«Что любишь делать? Я знаю, что тебе нравятся искусство и музыка. Может быть, ты хочешь стать **художником** или музыкантом? Дети тебе не мешают?»

«Нет, они никогда мне не мешают. Мне очень интересно им помогать. Федя, папа и мама говорят, что мне надо поступать на музыкальное отделение. Я училась в музыкальной школе и хорошо играю на **фортепиано**. Но есть одно но—мне нравится музыка, но **может быть**, у меня нет большого **таланта**.»

In a year after her entering the university, they again were sitting in Fedya's apartment. Yulia was helping Olya and Anton draw a picture and talking to Fedya.

"You're right, I'm bored, and I don't want to do programming. But I don't know who I want to become."

Fedya really wanted to help his sister.

"What do you like doing? I know that you like art and music. Maybe you want to become an artist or a musician? Aren't the children bothering you?"

"No, they never bother me. It is very interesting for me to help them. Fedya, Dad, and Mom say that I need to enter the music department. I studied at a music school and play the piano well. But there is a catch—I like music, but maybe I don't have a big talent."

Юля ушла с отделения информатики и поступила на музыкальное отделение. Она была хорошей, но не замечательной студенткой. Юле нравилась музыка, и папа и мама были очень рады. Юля очень старалась, но опять чувствовала, что это не её работа.

Yulia left the computer science department and entered the music department. She was a good, but not a wonderful student. Yulia liked music, and her dad and mom were very glad. Yulia tried very hard, but again she felt that this wasn't her job.

Они с братом опять сидели в его квартире. Федя готовил ужин, а Юля помогала Антону делать математику – её маленький племянник пошёл в школу.

«Я знаю, что мама и папа очень **огорчатся**, но я думаю, что мне надо уйти с музыкального отделения. Что делать?»

«Мама и папа огорчатся, но это твоя жизнь и твоя профессия, не их, и **выбираешь** ты,» ответил Федя. «Я знаю, что ты увлекаешься историей и искусством.»

«Ты прав, я люблю историю и искусство, может быть, я стану **искусствоведом**? Надо попробовать. Очень хорошо, Антон, **молодец**!»

«Спасибо, Юля, что ты занимаешься с ним математикой. Я программист, но не могу объяснить математику своему сыну!»

She and her brother were again sitting in his apartment. Fedya was cooking dinner, and Yulia was helping Anton do math—her little nephew had started going to school.

"I know that Mom and Dad will be very upset, but I think I need to leave the music department. What should I do?"

"Mom and Dad will be upset, but this is your life and your profession, not theirs, and you choose," answered Fedya. "I know that you are engaged in history and art."

"You're right; I love history and art. Maybe I will become an art critic? I need to try. Very good, Anton, good job!"

"Thank you, Yulia, for doing math with him. I am a programmer, but I can't explain math to my son!"

Юля поступила на отделение искусствоведения—на второй **курс**. Она училась два года, ей очень нравились предметы, но она опять **сомневалась**.

«Что делать?» спросила она Федю. «Я пять лет учусь, но не могу выбрать профессию. Это ужасно!»

Они сидели в квартире у Феди. Федя работал за компьютером, а Юля, Оля, Антон и Саша играли в **настольную игру**.

«Подождите, – **неожиданно** сказала Саша. – А дети?»

«Что – дети? – **удивились** Юля и Федя.»

«Юля всегда играет с Олей и Антоном. Ей это очень нравится, и им это очень нравится—посмотрите! Она помогает им делать уроки, рисует с ними картинки. Я и Федя—их родители, но мы не можем так с ними играть. Юля, ты любишь детей, а дети любят тебя. Может быть, ты хочешь работать с детьми?»

Yulia entered the art history department—the second year. She studied for two years, she really liked the subjects, but again she doubted.

"What should I do?" she asked Fedya. "I've been studying for five years, but I can't choose a profession. This is terrible!" They were sitting in Fedya's apartment. Fedya was working at his computer, and Yulia, Olya, Anton, and Sasha were playing a board game.

"Wait," Sasha said unexpectedly. "What about children?"

"What—children?" Yulia and Fedya were surprised.

"Yulia always plays with Olya and Anton. She really likes it, and they really like it—

look! She helps them do their homework, draws pictures with them. Fedya and I are their parents, but we can't play with them like that. Yulia, you love children, and children love you. Maybe you want to work with children?"

Юля удивилась—она любила детей, но никогда не думала, что дети – это работа. После разговора с Сашей она долго думала о детях и о профессии и поняла, что Саша права. Юля ушла с отделения искусствоведения и поступила на курсы **педагогики** и **психологии**. Потом она прошла короткий бизнес-курс в Интернете и открыла вместе с подругой очень маленький **частный детский сад**. Юля занималась с детьми музыкой, рисованием и математикой. Ей нравилось работать с детьми, теперь она знала, что это её идеальная работа.

Yulia was surprised—she loved children, but she never thought of children as a job. After talking to Sasha, she was thinking for a long time about children and the profession and understood that Sasha was right. Yulia left the art history department and entered pedagogics and psychology courses. Then she took a short business course on the Internet and opened, with her friend, a very small private kindergarten. Yulia did music, drawing, and math with children. She liked working with children, now she knew that this was her ideal job.

Краткое содержание

Юля училась в школе, у неё были хорошие оценки, она интересовалась историей, математикой, искусством и музыкой. Её старший брат Федя работал программистом, Юля дружила с братом и его семьёй—женой Сашей и маленькими детьми Антоном и Олей. Юля окончила школу, но не могла выбрать профессию. Сначала Юля решила, что хочет, как старший брат, быть программистом. Юля и Федя говорили об этой профессии в квартире Феди, а сын и дочь Феди играли с Юлей. Юля поступила в университет на отделение информатики, она была хорошей студенткой, но ей было скучно. Через год после поступления Юля и Федя опять говорили о профессии, а Юля помогала Оле и Антону рисовать картинку. Папа и мама говорили, что Юле надо поступить на музыкальное отделение, и Юля поступила туда. Папа и мама были очень рады, Юле нравилась музыка, но она опять чувствовала, что это не её работа. Через полтора года Юля и Федя опять говорили, а Юля помогала маленькому племяннику делать математику. Федя спросил Юлю о рисовании, и она решила, что ей надо стать искусствоведом. Юля поступила на отделение искусствоведения, но она опять сомневалась. Юля и Федя опять говорили о работе, а Юля, Саша и дети играли в настольную игру. Неожиданно Саша сказала, что Юля всегда играет с Олей и Антоном и ей это нравится. Она спросила Юлю: «Может быть, ты хочешь работать с детьми?» Юля удивилась и после разговора с Сашей долго думала о детях и о профессии. Она ушла из университета, училась на курсах, а потом открыла с подругой маленький частный детский сад. Теперь она знала, что дети – это её идеальная работа.

Summary

Yulia studied at school; she had good marks, and she was interested in history, math, art, and music. Her elder brother, Fedya, worked as a computer programmer. Yulia, her brother, and his family—his wife, Sasha, and young children, Anton and Olya—were friends. Yulia graduated from school, but couldn't choose a profession. First, Yulia decided that she wanted to be a computer programmer, like her elder brother. Yulia and Fedya talked about the profession in Fedya's apartment, and Fedya's son and daughter were playing with Yulia. Yulia entered the university at the computer science department, she was a good student, but she was bored. A year after her entering, Yulia and Fedya again spoke about her profession, and Yulia was helping Olya and Anton draw a picture. Yulia's dad and mom told Yulia that she had to go to the music department, and

Yulia entered it. Dad and Mom were very glad; Yulia liked music, but again she felt that this wasn't her job. A year and a half later, Yulia and Fedya were talking again, and Yulia was helping her little nephew do math. Fedya asked Yulia about drawing, and she decided that she had to become an art historian. Yulia entered the art history department, but she again had doubts. Yulia and Fedya talked again about work, and Yulia, Sasha, and the children were playing a board game. Suddenly, Sasha said that Yulia always played with Olya and Anton, and she liked it. She asked Yulia: "Maybe you want to work with children?" Yulia was surprised, and after talking with Sasha, she was thinking for a long time about children and her profession. She left the university, studied the courses, and then opened a small private kindergarten with her friend. Now she knew that working with children was her ideal job.

Grammar note

You will find many expressions with the **Instrumental Case – Творительный падеж** – in this text. Among other things, it is used for professions and activities in expressions like *Someone works as <profession>/Someone is interested/engaged in <activity>*.

Лексика – Vocabulary

Рисование (neut. gender) – Drawing, painting

Программист (masc. gender) – computer programmer

Закончить (perfect)– Finish, end, also graduate from

Выбрать\выбирать (imperfect\perfect) – Choose

Оценка (fem. gender) – Mark

История (fem. gender) – History

Математика (fem. gender) – Mathematics

Искусство (neut. gender) – Art

Поступать\поступить (imperfect\perfect) – Enter a college or university

Квартира (fem. gender) – Apartment

На коленях – In one's lap

Прыгать (imperfect) – Jump

Племянник (masc. gender)– Nephew

Племянница (fem. gender) – Niece

Престижный – Prestigious

Зарплата (fem. gender) – Salary

Есть одно но – **Idiomatic**: literally there is a but; meaning there is a catch

Общаться с (imperfect) – Communicate with

Мешать (imperfect) – Bother, annoy

Играть с (imperfect) – Play with

Попробовать (perfect) – Try

Отделение (neut. gender) – Department (at college or university)

Информатика (fem. gender) – Computer science

Действительно – Really

Поступление (neut. gender) – The process of entering a college or university

Художник (masc. gender)– Artist

Фортепиано (neut. gender) – Piano

Может быть – Maybe

Талант (masc. gender)– Talent

Огорчатся (imperfect) – Get upset

Искусствовед (masc. gender)– Art historian

Молодец (masc. gender) – Good person: used to encourage someone, meaning *Good job*!

Курс (masc. gender) – Year at college or university

Сомневаться (imperfect) – Doubt

Настольная игра (fem. gender) – Board game

Неожиданно – Unexpectedly

Удивиться (perfect) – Get surprised

Педагогика (fem. gender) – Pedagogics

Психология (fem. gender) – Psychology

Частный – Private

Детский сад (masc. gender) – Kindergarten

Образование (neut. gender) – Education

Полезный – Useful

Вопросы

1. Куда поступила Юля после школы?

2. Кем работал Федя?

3. На чём хорошо играла Юля?

4. Кто сказал Юле, что, может быть, дети – это её профессия?

5. Что открыла Юля с подругой?

6. Как звали племянницу Юли?

А. Саша

Б. Оля

В. Федя

7. Юля думала, что … – это престижнаяпрофессия.

А. Художник

Б. Искусствовед

В. Программист

8. Кто говорил, что Юле надо поступать на музыкальное отделение?

А. Мама и папа

Б. Федя и Саша

В. Оля и Антон

9. Что помогала Юля делать маленькому Антону?

А. Музыку

Б. Информатику

В. Математику

10. Где Юля и Федя обычно говорили о работе и о профессии?

А. В квартире Феди

Б. В квартире Юли

В. В квартире мамы и папы

Ответы

1. В университет на отделение информатики

2. Программистом

3. На фортепиано

4. Саша, жена Феди

5. Частный детский сад

6. Б.

7. В.

8. А.

9. В.

10. А.

Questions

1. What did Yulia enter after school?

2. What was Fedya's profession?

3. What could Yulia could play well?

4. Who told Yulia that children maybe her profession?

5. What did Yulia open with her friend?

6. What was Yulia's niece's name?

A. Sasha

B. Olya

C. Fedya

7. Yulia thought that… is a prestigious profession.

A. Artist

B. Art historian

C. Computer programmer

8. Who told Yulia that she had to enter the music department?

A. Mom and Dad

B. Fedya and Sasha

C. Olya and Anton

9. What was Yulia helping little Anton do?

A. Music

B. Computer science

C. Math

10. Where did Yulia and Fedya usually talk about her job and profession?

A. In Fedya's apartment

B. In Yulia's apartment

C. In Mom and Dad's apartment

Answers

1. The university's computer science department

2. Computer programmer

3. The piano

4. Sasha, Fedya's wife

5. A private kindergarten

6. B.

7. C.

8. A.

9. C.

10. A.

Chapter 5 – На даче – At the Country House

Пьер был **французом** и учился в России в Санкт-Петербурге. Он изучал в университете русский язык и **литературу**. Пьер интересовался русской **культурой** и историей. У Пьера в университете были друг Андрей. Андрей часто рассказывал Пьеру о России и о русских **традициях**.

Pierre was French and studied in Russia in St. Petersburg. He studied Russian language and literature at university. Pierre was interested in Russian culture and history. Pierre had a friend, Andrey, at university. Andrey often told Pierre about Russia and Russian traditions.

Летом Андрей пригласил Пьера на **дачу**. Дача – это **типичная** в России вещь, маленький дом **загородом**. В этом доме люди не живут **постоянно**, они обычно приезжают туда **на каникулах** и летом.

In summer, Andrey invited Pierre to the country house. The country house is a typical thing in Russia, a small cottage in the countryside. People don't live permanently in this house; they usually go there on holidays and in summer.

На даче студентов ждали мама и дедушка Андрея – Мария Николаевна и Николай Андреевич. Мария Николаевна работала **журналистом** и писала **статьи**, а Николай Андреевич не работал—он был **пенсионером**. Они были очень рады видеть Андрея и его друга Пьера.

Andrey's mom and granddad, Maria Nikolaevna and Nikolai Andreyevich, were waiting for the students at the country house. Maria Nikolaevna worked as a journalist and wrote articles, and Nikolai Andreyevich didn't work—he was retired. They were very glad to see Andrey and his friend, Pierre.

Дача семьи Андрея находилась в маленькой **деревне** около озера. Это был большой **двухэтажный** дом с **верандой** и **чердаком**. Около дома был **сад**, а в саду росли **вишни**. В университете Пьер читал русские **романы**, он подумал, что дом и сад очень **похожи** на место в старом русском романе.

Andrey's family country house was situated in a small village near a lake. It was a large two-story house with a verandah and an attic. There was a garden near the house, and there grew cherry trees in the garden. At university, Pierre read Russian novels; he thought that the house and the garden were very similar to a place in an old Russian novel.

Андрей и Пьер приехали на дачу рано утром. На даче Мария Николаевна дала им две **корзинки** и попросила пойти в сад и **собрать малину** на завтрак. Друзья собирали малину, и Андрей рассказывал Пьеру о семье и о даче.

Andrey and Pierre came to the country house early in the morning. At the country house, Maria Nikolaevna gave them two baskets and asked them to go to the garden and pick raspberries for breakfast. The friends were picking raspberries, and Andrey was telling Pierre about the family and the country house.

Этот дом **построил** его прадедушка—отец Николая Андреевича. У прадедушки был большая семья, и дом он построил большой, летом здесь всегда **собирались** десять-пятнадцать человек. Но сейчас на даче жили только мама и дедушка Андрея.

His great-granddad built the house—the father of Nikolai Andreyevich. The great-granddad had a big family, and he built a big house; ten-fifteen always gathered here in summer. Now, only Andrey's mom and granddad lived at the country house.

Пьер и Андрей дали Марии Николаевне малину, и она пригласила их на веранду. На веранде Пьера ждал большой **сюрприз** – дедушка Андрея знал, что французский друг его внука интересуется русской культурой, и нашёл на чердаке старый **самовар**.

Pierre and Andrey gave raspberries to Maria Nikolaevna, and she invited them to the veranda. There was a big surprise waiting for Pierre on the verandah—Andrey's granddad knew that his grandson's French friend was interested in Russian culture, and he had found an old samovar in the attic.

Дедушка положил в самовар **шишки** и начал их зажигать. Это было очень трудно, и Андрей с Пьером ему помогли. Через час вода в самоваре стала горячей, и все сели завтракать. На столе стояли **ватрушки, овсянка, варенье**, молоко и малина. Андрей сказал, что еда – **просто пальчики оближешь**, и Пьер согласился.

The granddad put some pinecones into the samovar and began to light them. It was very difficult, and Andrey and Pierre helped him. An hour later, the water in the samovar became hot, and everyone sat down for breakfast. On the table, there were vatrushkas, oatmeal, jam, milk, and raspberries. Andrey said that the food was delicious, and Pierre agreed.

После завтрака друзья пошли **купаться** в озере. Андрей обещал показать Пьеру красивый **остров**. Но после обеда начался дождь, и друзья начали думать, что делать. Пьер спросил о чердаке. Он помнил, что Николай Андреевич нашёл самовар на чердаке, и спросил Андрея: «Может быть, на чердаке есть интересные старые вещи?»

After breakfast, the friends went swimming in the lake. Andrey promised to show Pierre a beautiful island. But after lunch, it started raining, and the friends began to think about what to do. Pierre asked about the attic. He remembered that Nikolai Andreyevich found the samovar in the attic, and asked Andrey: "Maybe there are some interesting old things in the attic?"

Наверху было темно и **пыльно**. Они нашли **резиновые сапоги** и **сломанный** телевизор. Пьер начал **чихать**, и друзья решили идти вниз. Около лестницы Андрей неожиданно наступил на большой чёрный чемодан. Друзья хотели открыть чемодан, но у них не было **ключа**. Андрей и Пьер решили отнести его вниз. Чемодан был очень **тяжёлый**.

It was dark and dusty upstairs. They found rubber boots, a broken TV, and spades. Pierre began to sneeze, and the friends decided to go down. Near the stairs, Andrey suddenly stepped on a large black suitcase. The friends wanted to open the suitcase, but they didn't have the key. Andrey and Pierre decided to take it down. The suitcase was very heavy.

Внизу они показали **таинственный** чемодан Николаю Андреевичу. Ключа не было, и они открыли замок **отвёрткой**. В чемодане лежало **сокровище**—старые **открытки**, чёрно-белые фотографии, письма; это был **архив прадедушки** Андрея. Пьер, Андрей, Мария Николаевна и Николай Андреевич сидели на веранде за столом около лампы с жёлтым **абажуром** и смотрели фотографии. Николай Андреевич и Мария Николаевна вспоминали родственников, рассказывали о истории семьи Пьеру и Андрею.

They showed the mysterious suitcase to Nikolai Andreyevich downstairs. There was no key, and they opened the lock with a screwdriver. There lay a treasure in the suitcase—old postcards, black-and-white photographs, letters; it was the archives of Andrey's great-granddad. Pierre, Andrey, Maria Nikolaevna, and Nikolai Andreyevich were sitting on the verandah at the table near the lamp with a yellow lampshade and looking at the photographs. Nikolai Andreyevich and Maria Nikolaevna remembered their relatives and told the story of the family to Pierre and Andrey.

Пьер окончил университет и уехал во Францию, но он всегда хорошо помнил тот день на даче—большой дом, озеро и самовар, и, **конечно**, старые фотографии и письма в чёрном чемодане. Пьер думал, что это был очень **счастливый** день. Пьер стал **преподавателем,** занимался русской литературой и часто говорил студентам, что тот таинственный чемодан на чердаке на даче; это его важный ключ к русской культуре.

Pierre graduated from university and left for France, but he always remembered well that day at the country house—the big house, the lake, and the samovar, and, of course, the old photographs and letters in the black suitcase. Pierre thought it was a very happy day. Pierre became a lecturer; he was engaged in Russian literature and often told his students that the mysterious suitcase in the attic at the country house was his important key to Russian culture.

Краткое содержание

Пьер был французом и учился в России. Он изучал русский язык и литературу. В университете у Пьера был друг Андрей. Летом Андрей пригласил Пьера на дачу (это типичная в России вещь—маленький дом загородом). На даче студентов ждали мама и дедушка Андрея—Мария Николаевна и Николай Андреевич. Дача была около озера. Это был большой двухэтажный дом с верандой, чердаком и садом. Они собирали в саду малину, и Андрей рассказывал Пьеру о семье и о даче. На веранде Пьера ждал большой сюрприз—дедушка Андрея нашёл на чердаке старый самовар. После завтрака друзья пошли купаться в озере. Андрей хотел показать Пьеру остров, но после обеда начался дождь. Пьер спросил Андрея о чердаке. Он помнил, что Николай Андреевич нашёл самовар на чердаке, и подумал, что там есть интересные старые вещи. На чердаке друзья увидели большой чёрный чемодан. Чемодан окрыли. В нём было сокровище – старые открытки, чёрно-белые фотографии, письма—архив прадедушки Андрея. Вечером Пьер и семья Андрея сидели на веранде и смотрели фотографии, Николай Андреевич и Мария Николаевна вспоминали родственников и рассказывали о них. Пьер окончил университет и работал во Франции преподавателем. Он всегда хорошо помнил тот день на даче и думал, что это был очень счастливый день. Пьер часто говорил студентам, что тот таинственный чемодан это его важный ключ к русской культуре.

Summary

Pierre was a Frenchman and studied in Russia. He studied Russian language and literature. At university, Pierre had a friend, Andrey. In summer, Andrey invited Pierre to the country house (this is a typical thing in Russia—a small house in the countryside). Andrey's mom and granddad, Maria Nikolaevna and Nikolai Andreyevich, were waiting for the students at the country house. The country house was near a lake. It was a large two-story house with a verandah, attic, and garden. They collected raspberries in the garden, and Andrey told Pierre about the family and the country house. A big surprise was waiting for Pierre on the verandah—Andrey's granddad had found an old samovar in the attic. After breakfast, the friends went swimming in the lake. Andrey wanted to show Pierre an island, but after lunch, it started to rain. Pierre asked Andrey about the attic. He remembered that Nikolai Andreyevich had found the samovar in the attic, and thought that there were interesting old things there. In the attic, the friends saw a big black suitcase. The suitcase was opened. There was a treasure in it—old postcards, black-and-white photographs, letters; the archives of Andrey's great-granddad. In the evening, Pierre and Andrey's family were sitting on the verandah and looking at the photographs; Nikolai Andreyevich and Maria Nikolaevna remembered relatives and talked about them. Pierre graduated from university and worked as a lecturer in France. He always remembered that day at the country house well and thought that it was a very happy day. Pierre often told his students that the mysterious suitcase was his important key to Russian culture.

Grammar note

You will find many expressions with the **Prepositional Case – Предложный падеж** – in this text. The Prepositional Case is used for some expressions with prepositions, specifically with prepositions of place *в/на* – in/on.

Лексика – Vocabulary

Француз (masc. gender) – Frenchman

Литература (fem. gender) – Literature

Культура (fem. gender) – Culture

Традиция (fem. gender) – Tradition

Дача (fem. gender) – Country house, a typical Russian summer house

Типичный – Typical

Загородом – In the countryside

Постоянно – Permanently

На каникулах – On holidays

Журналист (masc. gender) – Journalist

Статья (fem. gender) – Article

Пенсионер (masc. gender) – Retired person

Деревня (fem. gender) – Village

Двухэтажный – Two-story

Веранда (fem. gender) – Verandah

Чердак (masc. gender) – Attic

Сад (masc. gender) – Garden

Вишня (fem. gender) – Cherry tree

Роман (masc. gender) – Novel

Похожий на – Similar to

Корзинка (fem. gender) – Basket

Собрать \ собирать (perfect \imperfect) – Pick up

Малина (fem. gender) – Raspberry

Построить (perfect) – Build

Собираться (imperfect) – Gather together

Только – Only

Сюрприз (masc. gender) – Surprise

Самовар (masc. gender) – Samovar, a typical Russian metal container for boiling water

Шишка (fem. gender) – Pinecone

Ватрушка (fem. gender) – Vatrushka, a typical Russian pastry with cottage cheese

Овсянка (fem. gender) – Oatmeal, usually served hot

Варенье (neut. gender) – Jam

Просто пальчики оближешь – **Idiomatic**: literally you can lick you fingers, meaning very delicious

Купаться (imperfect) – Swim

Остров (masc. gender) – Island

Пыльно – Dusty

Резиновые сапоги – Rubber boots

Сломанный – Broken

Чихать (imperfect) – Sneeze

Ключ (masc. gender) – Key

Тяжёлый – Heavy

Таинственный – Mysterious

Отвёртка (fem. gender) – Screwdriver

Сокровище (neut. gender) – Treasure

Открытка (fem. gender) – Postcard

Архив (masc. gender) – Archives

Прадедушка (masc. gender) – Grand granddad

Абажур (masc. gender) – Lampshade

Конечно – Of course

Счастливый – Happy

Преподаватель (masc. gender) – Lecturer, usually at college or university

Вопросы

1. Что изучал в университете Пьер?

2. Кто ждал Пьера и Андрея на даче?

3. Что Пьер и Андрей нашли на чердаке?

4. Какое сокровище лежало в чемодане?

5. Где смотрели фотографии?

6. Кем был Николай Андреевич?

А. Журналистом

Б. Преподавателем

В. Пенсионером

7. Пьер подумал, что дача похожа на место…

А. В старом русском романе

Б. В интересной статье

В. Во Франции

8. Что Мария Николаевна попросила собрать Пьера и Андрея?

А. Вишню

Б. Шишки

В. Малину

9. Какой сюрприз ждал Пьера на веранде?

А. Архив

Б. Самовар

В. Ватрушка

10. Что хорошо помнил Пьер?

А. Сломанный телевизор

Б. День на даче

В. Красивый остров

Ответы

1. Русский язык и литературу

2. Мама и дедушка Андрея

3. Чемодан

4. Архив прадедушки Андрея

5. На веранде

6. В.

7. А.

8. В.

9. Б.

10. Б.

Questions

1. What did Pierre study at university?

2. Who was waiting for Pierre and Andrey at the country house?

3. What did Pierre and Andrey find in the attic?

4. What treasure lay in the suitcase?

5. Where were they looking at photos?

6. Who was Nikolai Andreyevich?

A. Journalist

B. Lecturer

C. Retired person

7. Pierre thought that the country house was similar to a place...

A. In an old Russian novel

B. In an interesting article

C. In France

8. What did Maria Nikolaevna ask Pierre and Andrey to pick up?

A. Cherries

B. Pinecones

C. Raspberries

9. What surprise was waiting for Pierre on the verandah?

A. Archives

B. A samovar

C. A vatrushka

10. What did Pierre remember well?

A. The broken TV

B. The day at the country house

C. The beautiful island

Answers

1. Russian language and literature

2. Andrey's mom and granddad

3. A suitcase

4. The archives of Andrey's great-granddad

5. On the verandah

6. C.

7. A.

8. C.

9. B.

10. B.

Chapter 6 – Национальная кухня – National Cuisine

Марина и Франческа работали в большой **юридической компании** в Москве. Марина была русской, а Франческа **итальянкой**. Франческа **учила** русский язык и интересовалась Россией и русской культурой, а Марина в университете **выучила** итальянский язык. Они были хорошими подругами. Франческа часто **рассказывала** Марине об Италии и итальянской культуре. А Марина ходила с Франческой в музей и в театр. Она **рассказала** Франческе о русских праздниках и традициях и показала интересные места в Москве.

Marina and Francesca worked for a large law firm in Moscow. Marina was Russian, and Francesca was Italian. Francesca was studying Russian and was interested in Russia and Russian culture, and Marina learned Italian at university. They were good friends. Francesca often told Marina about Italy and Italian culture. And Marina went with Francesca to museums and the theater. She told Francesca about Russian festivals and traditions and showed interesting places in Moscow.

Один раз девушки говорили о еде и о национальной **кухне**. Франческа рассказывала Марине об итальянской кухне—о пицце, пасте, ризотто и тирамису. А Марина вспоминала **борщ,**

пельмени и **сырники**. Потом она вспомнила **кулебяку**. Франческа не знала слово «кулебяка» и очень удивилась. Бабушка Марины **готовила** замечательную кулебяку, и Марина очень любила это блюдо. Франческа захотела попробовать кулебяку, и подруги решили, что Марина должна **приготовить** этот русский **мясной пирог**, а Франческа итальянскую панна-котту, и в субботу у них будет вечер национальной кухни.

Once the girls talked about food and national cuisine. Francesca was telling Marina about Italian cuisine—about pizza, pasta, risotto, and tiramisu. And Marina remembered borscht, pelmeni, and syrniki. Then she remembered kulebyaka. Francesca didn't know the word "kulebyaka" and was very surprised. Marina's grandma made a wonderful kulebyaka, and Marina loved this dish. Francesca wanted to try kulebyaka, and the friends decided that Marina should cook this Russian meat pie and Francesca Italian pannacotta, and they will have a national cuisine evening on Saturday.

Утром в субботу Марина сидела на кухне и думала: «Что делать?». Она очень любила кулебяку и хорошо помнила это **блюдо**, но у неё была проблема—она плохо готовила. Марина часто **звонила** бабушке, когда хотела спросить о семейном рецепте, и сейчас она тоже **позвонила** бабушке. Бабушка сказала ей **рецепт** и **объяснила**, что делать. Бабушка **объясняла** очень хорошо, и Марина подумала, что приготовить мясной пирог очень просто.

On Saturday morning, Marina was sitting in the kitchen and thinking: "What should I do?" She loved kulebyaka very much and remembered this dish well, but she had a problem—she cooked badly. Marina often phoned her grandma when she wanted to ask about a family recipe, and now she also phoned her grandma. Her grandma told her the recipe and explained what to do. The grandma explained very well, and Marina thought that it was very easy to make a meat pie.

Сначала Марина **смешала дрожжи** и молоко. Она **мешала** очень **аккуратно**. Потом она **добавила соль** и **яйца**. Потом положила на стол **муку** и начала **лить** молоко в муку. Но когда она **вылила** молоко, оно потекло на пол. У Марины было **грязное** платье, грязная кухня и **липкие** руки, и она не знала, сколько молока теперь в **тесте**. Потом Марина вспомнила, что забыла добавить в молоко **сахар**. Начало было не очень хорошее.

At first, Marina mixed some yeast and milk. She was mixing very carefully. Then she added some salt and eggs. Then she put some flour on the table and started pouring the milk into the flour. But when she was pouring the milk, it flowed onto the floor. Marina had a dirty dress, a dirty kitchen, and sticky hands, and she didn't know how much milk was now in the batter. Then Marina remembered that she had forgotten to add sugar to the milk. The beginning wasn't very good.

Марина положила **кастрюлю** с тестом под **одеяло**. Бабушка сказала, что под одеялом тесто **поднимается**. Прошёл час, но тесто не **поднялось**. Марина решила, что в **духовке** тесто станет хорошим, и начала готовить **начинку**. Она положила на **сковородку** лук, но через десять минут лук стал чёрным. Марина добавила на сковородку **фарш**. Когда Марина положила начинку в тесто, она увидела, что фарш **сырой**. «Может быть, в духовке он станет нормальным», подумала Марина.

Marina put the pan with the batter under a blanket. Her grandma said that the batter rose under a blanket. An hour passed, but the batter didn't rise. Marina decided that the batter would become good in the oven, and began cooking the filling. She put onion in a pan, but ten minutes later, the onion turned black. Marina added some minced meat to the pan. When Marina put the filling in the batter, she saw that the minced meat was raw. "Maybe it will become normal in the oven," thought Marina.

Марина положила кулебяку в духовку и начала ждать. Через сорок пять минут она достала пирог. Он был **странным**. Марина увидела, что тесто очень **жёсткое**, а начинка сырая. «**Всё пропало!**» подумала Марина. «Сегодня вечер национальной кухни, но я не могу дать Франческе это—это не кулебяка!»

Marina put the kulebyaka into the oven and began to wait. 45 minutes later, she took out the pie. It was strange. Marina saw that the batter was very stiff, and the filling was raw. "Everything is lost!" thought Marina. "Today is the national cuisine evening, but I can't give Francesca this—this isn't a kulebyaka!"

Вечером грустная Марина пошла к Франческе. Франческа долго не **открывала** дверь, а когда она **открыла**, Марина увидела, что Франческа тоже очень грустная. «Прости меня, пожалуйста,» сказала итальянка. «Я хотела приготовить панна-котту, это любимый рецепт моей мамы, но смотри…» Марина пошла на кухню и увидела там на столе белые **комки**. Комки были очень **неаппетитными**.

In the evening, sad Marina went to Francesca. Francesca wasn't opening the door for a long time, and when she opened it, Marina saw that Francesca was also very sad. "Please forgive me," said the Italian. "I wanted to make pannacotta, this is my mom's favorite recipe, but look…" Marina went to the kitchen and saw white lumps on the table. The lumps were very unappetizing.

Марина **рассказала** Франческе о кулебяке. Когда она **рассказывала**, Франческа очень смеялась, а потом рассказала о своей проблеме. Она спросила рецепт у мамы и готовила панна-котту очень долго, но результат был странный.

Marina told Francesca about the kulebyaka. When she was talking, Francesca laughed a lot, and then she told her about her problem. She asked her mom for the recipe and was making pannacotta for a very long time, but the result was strange.

Подруги поняли, что не будут сегодня есть итальянское или русское национальное блюдо и решили пойти в японский ресторан. «У нас будет вечер национальной кухни,» сказала Марина, «не русской и не итальянской, но, **надеюсь**, вкусной и **съедобной**».

The friends understood that they would not eat an Italian or Russian national dish today and decided to go to a Japanese restaurant. "We'll have a national cuisine evening," said Marina, "not Russian or Italian, but, I hope, tasty and edible."

Краткое содержание

Подруги, Марина и Франческа, работали в большой компании в Москве. Марина была русской, а Франческа итальянкой. Франческа учила русский язык и интересовалась Россией и русской культурой, а Марина знала итальянский язык. Франческа часто рассказывала Марине об Италии и итальянской культуре, а Марина ходила с Франческой в музей и в театр и показывала ей город. Один раз девушки говорили о еде и о национальной кухне. Франческа рассказывала Марине об итальянской кухне, а Марина вспоминала русскую кухню. Она вспомнила кулебяку. Франческа захотела попробовать это блюдо, и подруги решили, что Марина должна приготовить кулебяку, а Франческа – итальянскую панна-котту, и в субботу у них будет вечер национальной кухни. В субботу Марина начала готовить. Она плохо готовила. Марина позвонила бабушке, и бабушка объяснила ей, что делать. Марина подумала, что приготовить мясной пирог очень просто. Она смешала дрожжи и молоко, добавила соль и яйца, положила на стол муку и начала выливать туда молоко. Но молоко потекло на пол. Потом Марина положила кастрюлю с тестом под одеяло, но тесто не поднялось. Марина начала делать начинку, но лук на сковородке стал чёрным, а фарш был сырым. Марина положила кулебяку в духовку и начала ждать. Когда она достала пирог, он был странным: тесто было жёсткое, а начинка сырая. Вечером грустная Марина пошла к Франческе, но

Франческа тоже была грустная. Она хотела готовила панна-котту, но приготовила неаппетитные белые комки. Подруги поняли, что не будут сегодня есть итальянское или русское национальное блюдо, и решили пойти в японский ресторан.

Summary

The friends, Marina and Francesca, worked in a large company in Moscow. Marina was Russian, and Francesca was Italian. Francesca was studying Russian and was interested in Russia and Russian culture, and Marina knew Italian. Francesca often told Marina about Italy and Italian culture, and Marina went with Francesca to museums and the theater and showed her the city. Once the girls were talking about food and national cuisine. Francesca was telling Marina about Italian cuisine, and Marina remembered Russian cuisine. She remembered kulebyaka. Francesca wanted to try this dish, and the friends decided that Marina should make a kulebyaka and Francesca Italian pannacotta, and on Saturday, they will have a national cuisine evening. On Saturday, Marina began cooking. She cooked badly. Marina called her grandma, and her grandma told her what to do. Marina thought that making the meat pie was very simple. She mixed some yeast and milk, added some salt and eggs, put some flour on the table, and began pouring milk there. But the milk flowed onto the floor. Then Marina put the pot with the batter under a blanket, but the batter didn't rise. Marina began to make the filling, but the onion in the pan turned black, and the minced meat was raw. Marina put the kulebyaka in the oven and began to wait. When she took the pie out, it was strange: the batter was stiff, and the filling was raw. In the evening, sad Marina went to Francesca, but Francesca was also sad. She wanted to make pannacotta, but she made some unappetizing white lumps. The friends understood that they would not eat any Italian or Russian national dish today, and decided to go to a Japanese restaurant.

Grammar note

You will find many verb pairs expressing two different verb aspects: **несовершенный/совершенный вид** – **Imperfect** and **Perfect** – in this text.

Лексика – Vocabulary

Юридический – Of law

Компания (fem. gender) – Firm

Итальянка (fem. gender) – Italian (this word is used only for women)

Учить\выучить (imperfect\perfect) – Study\learn

Рассказывать\рассказать (imperfect\perfect) – Tell

Кухня (fem. gender) – Cuisine, also kitchen

Борщ (masc. gender) – Borsch, a kind of beetroot and meat soup

Пельмени – Pelmeni, a kind of dumplings

Сырники – Syrniki, a kind of thick pancake made of cottage cheese

Кулебяка (fem. gender) – Kulebyaka, a closed meat pie

Готовить\приготовить – Cook

Мясной – Made of meat

Пирог (masc. gender) – Pie

Блюдо (neut. gender) – Dish

Звонить\позвонить (imperfect\perfect) – Phone

Рецепт (masc. gender) – Recipe

Объяснить\объяснять (perfect\imperfect) – Explain

Смешать\мешать (perfect\imperfect) – Mix

Дрожжи – Yeast

Аккуратно – Carefully

Добавить (perfect) – Add

Соль (fem. gender) – Salt

Яйцо (neut. gender) – Egg

Мука (fem. gender) – Flour

Лить\вылить (imperfect\perfect) – Pour

Грязный – Dirty

Липкий – Sticky

Сахар (masc. gender) – Sugar

Тесто (neut. gender) – Batter

Кастрюля (fem. gender) – Pot

Одеяло (neut. gender) – Blanket

Подниматься/подняться (imperfect\perfect) – Rise

Духовка (fem. gender) – Oven

Начинка (fem. gender) – Filling

Сковородка (fem. gender) – Frying pan

Фарш (masc. gender) – Minced meat

Сырой – Raw

Жёсткий – Stiff

Странный – Strange

Всё пропало – **Idiomatic**: literally everything is lost

Открывать\открыть (imperfect\perfect) – Open

Комок (masc. gender) – Lump

Неаппетитный – Unappetizing

Рассказать\рассказывать (imperfect\perfect) – Tell

Надеяться – Hope

Съедобный – Edible

Вопросы

1. Что выучила в университете Марина?

2. Кто готовил замечательную кулебяку?

3. Какая проблема была у Марины?

4. Что делает тесто под одеялом?

5. Куда решили пойти Франческа и Марина?

6. Что показала Марина Франческе в Москве?

А. Интересные места

Б. Русские традиции

В. Русские праздники

7. Кому позвонила Марина?

А. Франческе

Б. Маме

В. Бабушке

8. Что Марина забыла добавить в тесто?

А. Сахар

Б. Соль

В. Яйца

9. Какая была начинка в кулебяке?

А. Чёрная

Б. Сырая

В. Жёсткая

10. Что хотела приготовить Франческа?

А. Панна-котту

Б. Пиццу

В. Ризотто

Ответы

1. Итальянский язык

2. Бабушка Марины

3. Она плохо готовила

4. Поднимается

5. В японский ресторан

6. А.

7. В.

8. А.

9. Б.

10. А.

Questions

1. What did Marina learn at university?

2. Who made a wonderful kulebyaka?

3. What problem did Marina have?

4. What does batter do under a blanket?

5. Where did Francesca and Marina decide to go?

6. What did Marina show Francesca in Moscow?

A. Interesting places

B. Russian traditions

C. Russian festivals

7. Who did Marina phone?

A. Francesca

B. Mom

C. Grandma

8. What did Marina forget to add to the batter?

A. Sugar

B. Salt

C. Eggs

9. What was the filling in the kulebyaka like?

A. Black

B. Raw

C. Stiff

10. What did Francesca want to make?

A. Pannacotta

B. Pizza

C. Risotto

Answers

1. Italian

2. Marina's grandma

3. She cooked badly

4. Rises

5. To a Japanese restaurant

6. A.

7. C.

8. A.

9. B.

10. A.

Chapter 7 – Подходящий подарок – A Suitable Present

Светлана и Игорь жили в Санкт-Петербурге и **встречались** уже год. Они были студентами. Светлана училась в университете на отделении физики, а Игорь учился на отделении информатики. Они познакомились весной в мае, когда в Санкт-Петербурге были белые ночи. Светлана и Игорь очень любили это время—погода была более **тёплая**, цвела **сирень,** и ночью было **светло**. Экзамены начинались потом, а в тот момент студенты гуляли, смотрели на **разведённые мосты** и **мечтали**.

Svetlana and Igor lived in St. Petersburg and had been dating for a year already. They were students. Svetlana studied at university in the physics department, and Igor studied in the computer science department. They got acquainted in spring in May, when there were white nights in St. Petersburg. Svetlana and Igor loved this time very much—the weather was warmer, lilac was blossoming, and it was light at night. Exams were to begin later, and at that moment, students were walking, looking at the raised bridges and dreaming.

Светлана и Игорь познакомились около разведённого моста. Светлана торопилась домой, но не **успела**—мост был разведён, а метро закрылось. Светлана не хотела ехать на такси и осталась в центре города ждать. Игорь тоже опоздал. Он бежал на мост, но тоже не успел. Игорь увидел красивую девушку—она стояла на **набережной** и смотрела на полосатого кота. Кот был более большой, чем **обычные** коты, он сидел на **тротуаре** и **умывался**. Игорь спросил девушку о коте, и они начали разговор. Потом Игорь и Светлана долго **гуляли** в центре, смотрели на реку Неву, пили горячий чай в кафе. После той ночи они начали встречаться.

Svetlana and Igor got acquainted near a raised bridge. Svetlana hurried home, but didn't manage to be in time—the bridge was raised, and the subway had closed. Svetlana didn't want to go by taxi and stayed in the city center to wait. Igor was late too. He had been running for the bridge but also didn't make it in time. Igor saw a beautiful girl—she was standing on the embankment and looking at a tabby cat. The cat was larger than ordinary cats; it was sitting on the pavement and washing itself. Igor asked the girl about the cat, and they began a conversation. Then Igor and Svetlana were walking in the center for a long time, looking at the Neva River, drinking hot tea in a cafe. After that night, they started dating.

Сейчас опять была весна, и Игорь искал Светлане подарок на день рождения. Дни рождения у них были почти **одновременно**: у Игоря пятого мая, а у Светланы седьмого мая. Игорь хотел найти **подходящий** подарок—хороший и красивый, но у него была проблема; он не знал, что купить. Игорь целый день **провёл** в разных магазинах, но не выбрал подарок.

Now it was spring again, and Igor was looking for a birthday present for Svetlana. Their birthdays were almost at the same time: Igor had it on May 5th, and Svetlana had it on May 7th. Igor wanted to find a suitable present—a good and beautiful one, but he had a problem; he didn't know what to buy. Igor had spent a whole day in various shops but didn't choose the present.

Сначала он пошёл в магазин **одежды**. Игорь знал, что Светлана любит яркие платья и большие шляпы. Игорь уже дарил Светлане шляпу на Новый год. Тогда он выбрал зелёную шляпу с **шёлковой лентой**. Была зима, но Светлане очень понравился подарок, и потом, весной она часто носила эту шляпу. Игорь не нашёл в магазине более красивую шляпу, но нашёл яркое оранжевое платье **в горошек.** Продавец спросил его о **размере**, и Игорь понял, что он не знает размер Светланы. Сердитый Игорь вышел из магазина одежды.

First, he went to a clothing shop. Igor knew that Svetlana loved bright dresses and big hats. Igor had already given Svetlana a hat for the New Year. Then he chose a green hat with a silk ribbon. It was winter, but Svetlana liked the present very much, and then in spring, she often wore this hat. Igor didn't find a more beautiful hat in the shop, but he found a bright orange polka-dotted dress. The shop assistant asked him about the size, and Igor understood that he didn't know Svetlana's size. Angry, Igor left the clothing shop.

Потом Игорь пошёл в **книжный** магазин. Сначала он смотрел книги в **отделе фантастики** (Игорь очень любил читать фантастику), потом он пошёл в отдел искусства. Игорь знал, что Светлана любит голландскую **живопись,** но **альбом** голландской живописи он уже дарил ей на День святого Валентина. Это всегда был **сумасшедший** праздник—все друзья и знакомые Игоря покупали цветы и **шоколад**. Игорю не нравилась идея покупать цветы—это было очень **банально**, и он купил Светлане более **оригинальный** подарок: альбом. На каждой странице в альбоме был букет цветов. Подарок Светлане очень понравился. Но теперь Игорь не знал, что купить ей в книжном магазине.

Then Igor went to a bookshop. At first, he was looking at books in the science fiction department (Igor loved reading science fiction), then he went to the art department. Igor knew that Svetlana loved Dutch painting, but he had already given her an album of Dutch painting for St. Valentine's Day. It was always a crazy celebration—

all friends and acquaintances of Igor were buying flowers and chocolate. Igor didn't like the idea of buying flowers—it was very hackneyed, and he bought Svetlana a more original gift: an album. There was a bouquet of flowers on each page in the album. Svetlana liked the gift very much. But now Igor didn't know what to buy for her in the bookshop.

Он пошёл в магазин **электроники**. Игорь смотрел гаджеты, но опять не знал, что купить. У Светланы были ноутбук и электронная книга. У неё был хороший смартфон, и она не хотела его **менять**. Игорь вспомнил, что дарил Светлане **чехол** для смартфона на **Восьмое марта**. Этот был ответ на её подарок. Когда **двадцать третьего февраля** был праздник и в России **поздравляли мужчин**, Светлана подарила Игорю чехол для смартфона с красивым итальянским **пейзажем**. И Восьмого марта, когда в России поздравляли **женщин**, Игорь тоже купил ей чехол для смартфона с французским пейзажем. Но теперь Игорь опять не знал, что выбрать.

He went to an electronics shop. Igor was looking at gadgets, but again, he didn't know what to buy. Svetlana had a laptop and an e-book. She had a good smartphone, and she didn't want to change it. Igor remembered that he had given Svetlana a smartphone case for March 8th. This was an answer to her present. When there was a holiday on February 23rd, and men were congratulated in Russia, Svetlana gave Igor a smartphone case with a beautiful Italian landscape. And on March 8th, when women were congratulated in Russia, Igor also bought her a smartphone case with a French landscape. But now Igor again didn't know what to choose.

Грустный Игорь вышел из магазина электроники. У него не было подарка и не было хорошей идеи для подарка. Игорь совсем **повесил нос**. Он грустно шёл по улице и вдруг увидел магазин **игрушек**. В магазине на **полке** он увидел большого **игрушечного** полосатого кота. Кот был очень похож на того кота около моста в день **знакомства** со Светланой познакомились, но был более **симпатичным**. Игорь понимал, что Светлана не очень любит игрушки и ему нужен более подходящий подарок, но кот был замечательный, и Игорь его купил.

Sad, Igor left the electronics shop. He didn't have a present and didn't have a good idea for the present. Igor got completely upset. He was walking sadly down the street, and suddenly he saw a toy shop. There in the shop on a shelf, he saw a large toy tabby cat. The cat was very similar to that cat near the bridge on the day of his acquaintance with Svetlana, but it was better-looking. Igor understood that Svetlana didn't like toys very much and that he needed a more suitable present, but the cat was wonderful, and Igor bought it.

Дни рождения Светлана и Игорь праздновали в один день—в **выходной** восьмого мая. Они хотели поехать с друзьями загород и устроить **пикник**. Утром Игорь пошёл к Светлане, чтобы поздравить её и помочь положить вещи для пикника. Когда Светлана открыла дверь, Игорь **поздравил** её, достал игрушечного кота и сказал: «Я очень долго искал тебе подарок, но более подходящий не нашёл, не сердись—вот он». Светлана взяла полосатого кота и громко засмеялась. Потом она пошла в комнату и принесла второго полосатого кота. «А это твой подарок. Я тоже очень долго выбирала его, а потом увидела этого кота в магазине игрушек, вспомнила наше знакомство и поняла, что это подходящий подарок».

Svetlana and Igor celebrated their birthdays on the same day—the day-off on May 8th. They wanted to go out to the country with their friends and have a picnic. In the morning, Igor went to Svetlana to congratulate her and help get things for the picnic. When Svetlana opened the door, Igor congratulated her, took out the toy cat, and said: "I have been looking for a present for you for a very long time, but I couldn't find a more suitable one; don't be angry—here it is." Svetlana took the tabby cat and laughed out loud. Then she went into a room and brought the second tabby cat. "And this is your present. I was also choosing it for a very long time, and then I saw this cat in a toy shop, remembered our acquaintance, and understood that it was a suitable present."

Краткое содержание

Светлана и Игорь встречались уже год. Они были студентами и познакомились около разведенного моста в мае, когда в Санкт-Петербурге были белые ночи. Светлана торопилась домой, но не успела, а Игорь тоже опоздал. Сначала он сердился, но потом увидел на набережной красивую девушку—она стояла и смотрела на большого полосатого кота. Игорь спросил девушку о коте, и они начали разговор. После той ночи они начали встречаться. Сейчас опять была весна, и Игорь искал Светлане подарок на день рождения. Дни рождения у них были почти одновременно. Игорь хотел найти подходящий подарок, но не знал, что купить. Сначала Игорь пошёл в магазин одежды. Он знал, что Светлана любит яркие платья и большие шляпы. Но Игорь уже дарил Светлане шляпу на Новый год. Он нашёл в магазине платье, но понял, что не знает размер Светланы. Потом Игорь пошёл в книжный магазин. Он знал, что Светлана любит голландскую живопись, но альбом голландской живописи он дарил ей на День святого Валентина. В этот день все покупали цветы и шоколад, но Игорь не хотел покупать цветы—это было очень банально, и он купил Светлане оригинальный подарок. Но теперь Игорь не знал, что купить ей в книжном магазине. Он пошёл в магазин электроники, но опять не знал, что купить. Игорь дарил Светлане чехол для смартфона на Восьмое марта, когда в России поздравляли женщин. Грустный Игорь шёл по улице и вдруг увидел магазин игрушек. В магазине на полке он увидел игрушечного полосатого кота. Кот был очень похож на того большого кота около моста в день знакомства со Светланой. Игорь понимал, что Светлана не очень любит игрушки, но купил кота. Дни рождения Светлана и Игорь праздновали в выходной восьмого мая—они хотели поехать с друзьями на пикник. Утром Игорь пошёл к Светлане, поздравил её и подарил кота. Он сказал: «Я очень долго искал тебе подарок, не сердись—вот он». Но Светлана подарила ему второго игрушечного кота. Она тоже долго выбирала подходящий подарок и не знала, что купить.

Summary

Svetlana and Igor had been dating for a year. They were students and got acquainted near a raised bridge in May, when there were white nights in St. Petersburg. Svetlana was hurrying for home but didn't manage to make it in time, and Igor was late too. At first, he was angry, but then he saw a beautiful girl on the embankment—she was standing and looking at a big tabby cat. Igor asked the girl about the cat, and they began a conversation. After that night, they started dating. Now it was spring again, and Igor was looking for a birthday present for Svetlana. They had birthdays almost at the same time. Igor wanted to find a suitable present but didn't know what to buy. First, Igor went to a clothing shop. He knew that Svetlana loved bright dresses and big hats. But Igor had already given Svetlana a hat for the New Year. He found a dress in the shop but understood that he didn't know Svetlana's size. Then Igor went to a bookshop. He knew that Svetlana loved Dutch painting, but he had given her an album of Dutch painting on St. Valentine's Day. On this day, everyone bought flowers and chocolate, but Igor didn't want to buy flowers—it was very hackneyed, and he bought Svetlana an original present. But now Igor didn't know what to buy for her in the bookshop. He went to an electronics shop, but again didn't know what to buy. Igor had given Svetlana a smartphone case on March 8th, when women were congratulated in Russia. Sad, Igor was walking along a street and suddenly he saw a toy shop. There in the shop, on a shelf, he saw a toy tabby cat. The cat was very similar to that big cat near the bridge on the day of his acquaintance with Svetlana. Igor understood that Svetlana didn't like toys very much, but he bought the cat. Svetlana and Igor celebrated birthdays on May 8th—a day off; they wanted to go on a picnic with their friends. In the morning, Igor went to Svetlana, congratulated her, and gave her the cat. He said: "I was looking for a present for you for a very long time, don't be angry—here it is." But Svetlana gave him the second toy cat. She was also choosing a suitable present for a long time and didn't know what to buy.

Grammar note

You will find many expressions with adjectives in the **Comparative Degree – сравнительная степень –** in this text. One of the basic ways to form this degree is to use with an adjective the word **более –** e.g., *более подходящий* – more suitable.

Лексика – Vocabulary

Встречаться (imperfect) – Go out with someone, date

Тёплый – Warm

Сирень (fem. gender) – Lilac

Светло – Light

Разведённый – Raised

Мост (masc. gender) – Bridge

Мечтать (imperfect) – Dream

Успеть (perfect) – Be in time for something

Набережная (fem. gender) – Embankment

Обычный – Ordinary

Тротуар (masc. gender) – Pavement

Умываться (imperfect) – Wash oneself

Гулять (imperfect) – Walk

Одновременно – At the same time

Подходящий – Suitable

Провести (perfect) – Spend (time)

Одежда (fem. gender) – Clothes

Шёлковый – Silk

Лента (fem. gender) – Ribbon

В горошек – Polka-dotted

Размер (masc. gender) – Size

Книжный – Of books

Отдел (masc. gender) – Department (in a store)

Фантастика (fem. gender) – Science fiction

Живопись (fem. gender) – Painting

Альбом (masc. gender) – Album

Сумасшедший – Crazy

Шоколад (masc. gender) – Chocolate

Банально – Hackneyed

Оригинальный – Original

Электроника (fem. gender) – Electronics

Менять (imperfect) – Change

Чехол (masc. gender) – Case, cover

Восьмое марта – March 8th, International Women's Day, a public holiday in Russia; it is usually celebrated as a kind of women's day when all female friends and relatives are congratulated

Двадцать третье февраля – February 23rd, Defender of the Fatherland Day, a public holiday in Russia; it is usually perceived as a kind of men's day when all male friends and relatives are congratulated

Поздравлять\поздравить (imperfect\perfect) – To congratulate

Мужчина (masc. gender) – Man

Пейзаж (masc. gender) – Landscape

Женщина (fem. gender) – Woman

Повесить нос (perfect) – **Idiomatic**: literally have one's nose hung, means becoming upset

Игрушка (fem. gender) – Toy

Полка (fem. gender) – Shelf

Игрушечный – Of toys

Знакомство (neut. gender) – Acquaintance

Симпатичный – Good-looking

Выходной (masc. gender) – A day off, weekend, holiday

Пикник (masc. gender) – Picnic

Вопросы

1. На кого смотрела Светлана на набережной?

2. Какой подарок купил Игорь Светлане на Новый год?

3. Почему Игорь не купил Светлане платье?

4. Какие книги любил Игорь?

5. Где Игорь увидел подарок Светлане на день рождения?

6. Когда познакомились Светлана и Игорь?

А. Зимой

Б. Весной

В. Восьмого марта

7. Около чего познакомились Светлана и Игорь?

А. Около разведённого моста

Б. Около магазина одежды

В. Около кафе

8. Какой подарок купил Игорь Светлане на четырнадцатое февраля?

А. Банальный

Б. Оригинальный

В. Полосатый

9. Что подарила Светлана Игорю на двадцать третье февраля?

А. Шоколад

Б. Альбом

В. Чехол

10. Что хотели Игорь и Светлана делать в день рождения?

А. Сделать пикник

Б. Мечтать

В. Гулять

Ответы

1. На кота

2. Шляпу

3. Он не знал размер Светланы

4. Фантастику

5. В магазине игрушек

6. Б.

7. А.

8. Б.

9. В.

10. А.

Questions

1. Who was Svetlana looking at on the embankment?

2. What present did Igor buy for Svetlana for the New Year?

3. Why didn't Igor buy the dress for Svetlana?

4. What kind of books did Igor like?

5. Where did Igor see Svetlana's birthday present?

6. When did Svetlana and Igor get acquainted?

A. In winter

B. In spring

C. On March 8th

7. Near to what did Svetlana and Igor get acquainted?

A. Near a raised bridge

B. Near a clothing shop

C. Near a café

8. What present did Igor buy for Svetlana on February 14th?

A. Hackneyed

B. Original

C. Tabby

9. What did Svetlana give to Igor on February 23rd?

A. Chocolate

B. An album

C. A case

10. What did Igor and Svetlana want to do on their birthday?

A. To have a picnic

B. To dream

C. To walk

Answers

1. A cat

2. A hat

3. He didn't know Svetlana's size

4. Science fiction

5. In a toy shop

6. B.

7. A.

8. B.

9. C.

10. A.

Chapter 8 – Стереотипы – Stereotypes

Степан был студентом и учился на **летнем** курсе английского языка в Великобритании. Дома он учил английский язык в университете, а летом решил поднять **уровень** языка и поехал в Великобританию. Там у Степана была большая **международная группа**, в этой группе были студенты из разных стран—все они учили английский. Степан познакомился с разными людьми. Студенты дружили и общались—они рассказывали о своей стране и культуре и слушали рассказы друзей. Это было самое замечательное и интересное лето в **жизни** Степана. В группе Степана были **француженка** Софи, **итальянец** Марио, **японец** Йоши и **немка** Паула. Они прекрасно проводили время.

Stepan was a student and studied at a summer course in the English language in the UK. At home, he studied English at university, and in summer, he decided to raise his language level and went to the UK. There, Stepan had a large international group; there were students from different countries in this group—they all studied

English. Stepan got acquainted with different people. Students were friends and communicated—they talked about their country and culture and listened to their friends' stories. It was the most wonderful and interesting summer in Stepan's life. There were Frenchwoman Sophie, Italian Mario, Japanese Yoshi, and German Paula in Stepan's group. They were having a great time.

Иногда друзья-студенты **шутили** над Степаном. Степан никогда не пил **алкоголь**. Он не любил даже **вино** и **пиво** и никогда не пил **крепкие напитки**—ему было неприятно их пить; водка была его самым нелюбимым напитком. Иногда после **занятия** студенты любили сидеть и разговаривать в английском пабе; друзья Степана пили пиво или сидр, а Степан пил кофе. Его друг, итальянец Марио, часто шутил и говорил, что, может быть, Степан русский **шпион**—русский человек не может не пить алкоголь. Студенты обычно смеялись, а Степан сердился. Это было его **больное место**. Ему не нравились эти шутки.

Sometimes the student friends made some jokes at Stepan's expense. Stepan never drank alcohol. He didn't even like wine and beer and never drank hard liquor—it was unpleasant to drink them for him; vodka was his most unfavourite drink. Sometimes after a lesson, the students liked sitting and talking in an English pub; Stepan's friends were drinking beer or cider, and Stepan was drinking coffee. His friend, Mario, the Italian, often made jokes and said that maybe Stepan was a Russian spy—a Russian man isn't able not to drink alcohol. The students usually laughed, and Stepan got angry. This was a thing that extremely annoyed him. He didn't like these jokes.

В августе после экзамена студенты пришли в дом Софи. На экзамене они получили хорошие оценки и были очень рады. Друзья заказали пиццу по телефону; они ждали **курьера** и говорили. Неожиданно начался разговор о погоде—какая погода летом в Англии, какая погода во Франции. Степан сказал друзьям, что летом в его городе очень **жарко**, люди носят большие шляпы и днём стараются не выходить на улицу. Марио удивился, засмеялся и сказал: «Нет! Я знаю, что в России самая холодная погода, всегда очень холодно и идёт **снег**!»

In August, after an exam, the students went to Sophie's house. On the exam, they got good marks and were very glad. The friends ordered a pizza via phone; they were waiting for the courier and talking. Suddenly, a conversation started about the weather—what was the weather like in summer in England, what was the weather like in France. Stepan told his friends that it was very hot in his city in summer; people wore big hats and tried not to go outside in the afternoon. Mario got surprised, laughed, and said: "No! I know that Russia has the coldest weather; it is always very cold, and it snows!"

Это были не самые **обидные** слова, но Степан очень рассердился. Он сказал друзьям, что Россия – очень большая страна, **на севере** зимой очень холодно, но он живёт **на юге** около **моря** в городе Сочи. Сочи – это **курорт**. Зимой там не холодно и снег идёт очень **редко**, а летом очень жарко, и люди купаются в море. Степан объяснил, что ему не нравятся эти шутки и стереотипы: не все русские пьют водку, в России не всегда холодно.

These words weren't the most offensive ones, but Stepan got very angry. He told his friends that Russia was a very large country, it was very cold in the north in winter, but he lived in the south near the sea in the city of Sochi. Sochi was a resort. In winter, it wasn't cold there, and it snowed very seldom, and in summer, it was very hot, and people swam in the sea. Stepan explained that he didn't like these jokes and stereotypes: not all Russians drink vodka, and it isn't always cold in Russia.

Неожиданно Софи сказала: «Да, я тебя понимаю. Я француженка и часто слышу: французы ненавидят английский язык и не говорят по-английски». Студенты начали смеяться: Софи была самой лучшей студенткой, она получила самую высокую оценку на экзамене, она замечательно говорила по-английски. «И я никогда, никогда не ношу глупый **берет**! Мне тоже не нравятся стереотипы», сказала девушка.

Suddenly, Sophie said: "Yes, I understand you. I am French, and I often hear: the French hate the English language and don't speak English." The students began to laugh: Sophie was the best student, she got the highest mark on the exam, and she spoke English perfectly. "And I never, never wear a stupid beret! I also don't like stereotypes," the girl said.

Потом Йоши сказал: «А у меня **аллергия** на **рыбу**. Я никогда не ем суши, но я японец, и люди часто спрашивают меня о суши, о рыбе и **морепродуктах**. Это глупо! В японской кухне очень разные блюда; и во многих блюдах нет рыбы. Это стереотип». Друзья кивнули. «И о японцах часто говорят, что для них очень важно, что думают люди, что **чужое мнение** это самое важное». Студенты опять засмеялись—у Йоши были синие волосы, и все знали: он всегда говорит и делает то, что считает правильным, и никогда не смотрит на чужое мнение.

Then Yoshi said: "And I have a fish allergy. I never eat sushi, but I am Japanese, and people often ask me about sushi, about fish, and seafood. This is stupid! There are very different dishes in Japanese cuisine; many dishes have no fish in them. This is a stereotype". The friends nodded. "And it's often said about the Japanese that it's very important for them what people think, that the opinions of others are the most important." The students laughed again – Yoshi had blue hair, and everyone knew: he always said and did what he thought right, and never looked at the opinions of others.

«Да,» сказал Марио. «Ты не ешь рыбу, а я итальянец, но ненавижу пасту». Друзья очень удивились. «Видите,» продолжал Марио, «люди всегда удивляются; это тоже стереотип. В Италии тоже есть разные вкусные блюда; самое вкусное блюдо это не паста». В дверь позвонил курьер. «Но пиццу ты любишь?» **осторожно** спросила Софи. «Это тоже типичное итальянское блюдо». «Пиццу люблю,» засмеялся

Марио. «И об итальянцах всегда говорят, что они самые **шумные**. Но вы все знаете, что я самый **тихий** в группе». Друзья **согласились**.

"Yes," said Mario. "You don't eat fish, but I am Italian, but I hate pasta." The friends were very surprised. "You see," continued Mario, "people are always surprised; this is also a stereotype. There are also different delicious dishes in Italy; the most delicious dish isn't pasta." The courier rang the doorbell. "But you do like pizza?" Sophie asked carefully. "This is also a typical Italian dish." "I love pizza." Mario laughed. "And the Italians are always said to be the noisiest ones, but you all know that I am the quietest one in the group." The friends agreed.

Когда они ели пиццу, Паула продолжила разговор: «А о немцах говорят, что мы самые **точные**, **пунктуальные** и аккуратные». И опять студенты засмеялись: Паула часто опаздывала на занятия, она была самая **рассеянная** в группе и забывала дома книги и тетради, а сейчас её лицо было очень грязным из-за пиццы. «Значит, я не настоящая немка?» спросила Паула.

When they were eating the pizza, Paula continued the conversation: "And they say about the Germans that we are the most exact, punctual, and careful ones." And again, the students laughed: Paula was often late for the lessons, she was the most absent-minded one in the group, and she forgot books and notebooks at home, and now her face was very dirty because of the pizza. "So am I not a real German?" asked Paula.

Студенты согласились, что стереотипы – это очень глупо, все люди разные и национальность не может рассказать, какой ты человек. Степан был очень рад, что друзья согласились с ним и теперь не шутят об алкоголе и о холодной погоде. Он тоже старался не шутить об их национальности. Курс в Великобритании был полезным не только для английского языка.

The students agreed that stereotypes were very stupid, all people were different, and nationality couldn't tell what kind of person you were. Stepan was very glad that his friends had agreed with him, and now they weren't joking about alcohol and cold weather. He also tried not to joke about their nationality. The course in the UK was useful not only for the English language.

Краткое содержание

Степан был студентом и учился на летнем курсе английского языка в Великобритании. На курсе была большая международная группа; в этой группе были студенты из разных стран. Студенты дружили, общались и рассказывали о своей стране и культуре. В группе Степана были француженка Софи, итальянец Марио, японец Йоши и немка Паула. Они прекрасно проводили время. Это было самое замечательное и интересное лето в жизни Степана. Иногда друзья шутили над Степаном. Степан не пил алкоголь и не любил даже вино и пиво. Марио часто шутил и говорил, что Степан – русский шпион, потому что русский человек не может не пить алкоголь. Друзья смеялись, а Степан сердился. В августе после экзамена студенты сидели в доме у Софи и говорили о погоде. Степан сказал, что летом в его городе очень жарко, а Марио удивился и сказал, что в России самая холодная погода и идёт снег. Это были не самые обидные слова, но Степан рассердился. Он сказал, что Россия – очень большая страна, на севере зимой холодно, но он живёт на юге рядом с морем в городе Сочи, зимой там не холодно и снег идёт редко, а летом жарко. Степан объяснил, что ему не нравятся стереотипы и шутки о русских. Неожиданно француженка Софи сказала, что она часто слышит, что французы ненавидят английский язык и не говорят по-английски. Студенты засмеялись, потому что Софи получила самую высокую оценку на экзамене. Потом Йоши сказал, что у него аллергия на рыбу, и он никогда не ест суши, но люди часто спрашивают его о суши и рыбе, потому что он японец. Йоши объяснил, что о японцах часто говорят, что для них самое важное – чужое мнение, но его друзья знали, что он всегда говорит и делает то, что считает правильным, и никогда не смотрит на чужое мнение. Марио рассказал, что ненавидит пасту. Он сказал, что об итальянцах всегда говорят, что они самые шумные, но он самый тихий в группе. Паула сказала, что о немцах говорят, что они самые точные, пунктуальные и аккуратные. Но Паула часто опаздывала на занятия и была самая рассеянная в группе. Студенты согласились, что стереотипы – это очень глупо, все люди разные и национальность не может рассказать, какой ты человек. Степан был очень рад, что друзья согласились с ним. Курс в Великобритании был полезным не только для английского языка.

Summary

Stepan was a student and studied at a summer course in the English language in the UK. There was a large international group on the course; in this group, there were students from different countries. The students were friends; they communicated and talked about their country and culture. There were Frenchwoman Sophie, Italian Mario, Japanese Yoshi, and German Paula in Stepan's group. They were having a great time. It was the most wonderful and interesting summer in Stepan's life. Sometimes the friends made jokes at Stepan's expanse. Stepan didn't drink alcohol and didn't even like wine and beer. Mario often made jokes and said that Stepan was a Russian spy because a Russian man isn't able not to drink alcohol. The friends laughed, and Stepan was angry. In August, after an exam, the students were sitting in Sophie's house and talking about the weather. Stepan said that it was very hot in his city in summer, and Mario was surprised and said that Russia had the coldest weather, and it snowed there. These words weren't the most offensive ones, but Stepan got angry. He said that Russia was a very large country; it was cold in the north in winter, but he lived in the south near the sea in the city of Sochi. It wasn't cold there in winter, and it rarely snowed, and it was hot in summer. Stepan explained that he didn't like stereotypes and jokes about the Russians. Suddenly, Frenchwoman Sophie said that she often heard that the French hated English and didn't speak English. The students laughed because Sophie got the highest mark on the exam. Then Yoshi said that he had a fish allergy, and he never ate sushi, but people often asked him about sushi and fish because he was Japanese. Yoshi explained that they often said about the Japanese that the most important thing for them was the opinions of others, but his friends knew that he always said and did what he thought right and never looked at the opinions of others. Mario said he hated pasta. He said that the Italians were always said to be the noisiest ones, but he was the quietest one in the group. Paula said that they said about the Germans that they were the most exact, punctual, and careful ones. But Paula was often late for the lessons and was the most absent-minded one in the group. The students agreed that stereotypes were very stupid, that all people were different, and nationality couldn't tell what kind of person you were. Stepan was very glad that his friends agreed with him. The course in the UK was useful not only for the English language.

Grammar note

You will find many expressions with adjectives in the **Superlative Degree** – превосходная степень – in this text. One of the basic ways to form this degree is to use with an adjective the pronoun **самый** – e.g., *самый шумный* – the noisiest.

Лексика – Vocabulary

Летний – Of summer

Уровень (masc. gender) – Level

Международный – International

Группа (fem. gender) – Group

Жизнь (fem. gender) – Life

Француженка (fem. gender) – French (this word is used only for women)

Итальянец (masc. gender) – Italian (this word is used only for men)

Японец (masc. gender) – Japanese (this word is used only for men)

Немка (fem. gender) – German (this word is used only for women)

Шутить над (imperfect) – Make jokes at someone's expense

Алкоголь (masc. gender) – Alcohol

Вино (neut. gender) – Wine

Пиво (neut. gender) – Beer

Крепкие напитки – Hard liquors

Занятие (neut. gender) – Lesson, class

Шпион (masc. gender) – Spy

Больное место (neut. gender) – **Idiomatic**: literally a painful spot, meaning pet peeve, something that really annoys

Курьер (masc. gender) – Courier

Жарко – Hot

Снег (masc. gender) – Snow

Обидный – Offensive

На севере – In the north

На юге – In the south

Море (neut. gender) – Sea

Курорт (masc. gender) – Resort

Редко – Seldom

Берет (masc. gender) – Beret

Аллергия (fem. gender) – Allergy

Рыба (fem. gender) – Fish

Морепродукты – Seafood

Чужой – Of others

Мнение (neut. gender) – Opinion

Осторожно – Carefully

Шумный – Noisy

Тихий – Quiet

Согласиться (perfect) – Agree

Точный – Exact

Пунктуальный – Punctual

Рассеянный – Absent-minded

Вопросы

1. Что учил Степан в Великобритании?

2. Куда пошли студенты после экзамена?

3. На что была аллергия у Йоши?

4. Что ненавидел Марио?

5. Кто был самый рассеянный студент в группе?

6. Степану не нравились шутки…

А. О его английском языке

Б. Об алкоголе

В. Об аллергии

7. Какая погода летом в городе Степана?

А. Жаркая

Б. Идёт снег

В. Холодная

8. Кто получил самую высокую оценку на экзамене?

А. Йоши

Б. Степан

В. Софи

9. Кто никогда не смотрел на чужое мнение?

А. Йоши

Б. Степан

В. Софи

10. О немцах говорят, что они…

А. Самые точные

Б. Самые шумные

В. Самые тихие

Ответы

1. Английский язык

2. В дом Софи

3. На рыбу

4. Пасту

5. Паула

6. Б.

7. А.

8. В.

9. А.

10. А.

Questions

1. What did Stepan study in the UK?

2. Where did the students go after the exam?

3. What kind of allergy did Yoshi have?

4. What did Mario hate?

5. Who was the most absent-minded student in the group?

6. Stepan didn't like the jokes about…

A. His English language

B. Alcohol

C. Allergy

7. What kind of weather is in Stepan's city in summer?

A. Hot

B. It is snowing

C. Cold

8. Who got the highest mark on the exam?

A. Yoshi

B. Stepan

C. Sophie

9. Who never looked at the opinions of others?

A. Yoshi

B. Stepan

C. Sophie

10. They say about the German that they are…

A. The most exact ones

B. The noisiest ones

C. The quietest ones

Answers

1. The English language

2. To Sophie's house

3. Fish

4. Pasta

5. Paula

6. B.

7. A.

8. C.

9. A.

10. A.

Chapter 9 – Кто будет мыть посуду? – Who will Wash the Dishes?

Григорий и Вадим были студентами и учились в университете на отделении **менеджмента**. Они вместе **снимали** квартиру. Обычно Вадим и Григорий были хорошими друзьями, но у них было две **причины** для **ссоры**—Наташа и **уборка** в квартире.

Grigoriy and Vadim were students and studied at university in the management department. They rented an apartment together. Vadim and Grigoriy were usually good friends, but they had two reasons for a quarrel—Natasha and cleaning of the apartment.

Наташа тоже училась на отделении менеджмента. Это была самая красивая девушка в группе Вадима и Григория, и она им очень нравилась. Вадим думал, что он будет встречаться с Наташей, но Григорий тоже хотел с ней встречаться, и они часто спорили.

Natasha also studied at the management department. This was the most beautiful girl in Vadim and Grigoriy's group, and they liked her very much. Vadim thought that he would date Natasha, but Grigoriy also wanted to date her, and they often argued.

В квартире Григория и Вадима было две комнаты, кухня, туалет и ванная. Григорий **убирался** в своей комнате, а Вадим убирался в своей, но кухня и ванная были **общим** местом, и друзья постоянно ссорились: «Кто будет сегодня **мыть** туалет?» «Кто будет чистить ванную?» Вадим и Григорий даже сделали **расписание**, но оно им не помогло.

There were two rooms, a kitchen, a toilet, and a bathroom in Grigoriy and Vadim's apartment. Grigoriy cleaned his room, and Vadim cleaned his, but the kitchen and the bathroom were their common place, and the friends constantly quarreled: "Who will wash the toilet today?" "Who will clean the bathroom?" Vadim and Grigoriy even made a schedule, but it didn't help them.

Один раз у них случилась действительно большая ссора. Посуда была самой нелюбимой **обязанностью** Вадима и Григория. Обычно они долго её не мыли. В понедельник Вадим пришёл на кухню и увидел в **раковине** высокую **гору** грязной посуды.

«Кто будет мыть посуду? » спросил он, когда Григорий пришёл вечером домой.

«Я вчера мыл ванну и убирался в коридоре. Я не собираюсь её мыть!» закричал Григорий.

«А я мыл холодильник и убирался в туалете! Я тоже не буду мыть посуду!»

Вадим пошёл в свою комнату, а Григорий в свою. Дома не было чистой кастрюли и сковородки, и Вадим пошёл ужинать в кафе, а Григорий заказал пиццу.

Once, they had a really big quarrel. The dishes were the most unfavorite duty of Vadim and Grigoriy. They usually didn't wash them for a long time. On Monday, Vadim came into the kitchen and saw a high mountain of dirty dishes in the sink.

"Who will wash the dishes?" he asked when Grigoriy came home in the evening.

"I washed the bath yesterday and cleaned the hallway. I'm not going to wash them!" cried Grigoriy.

"And I washed the refrigerator and cleaned the toilet! I won't wash the dishes either!"

Vadim went to his room and Grigoriy to his. There wasn't a clean pot and frying pan in the house, and Vadim went to dinner in a cafè, and Grigoriy ordered a pizza.

В среду в квартире не было уже чистых **тарелок** и **чашек**, и на завтрак Вадим и Григорий ели йогурт **одноразовыми** пластиковыми **ложками** и пили минеральную воду в бутылке. Но посуду никто не мыл.

On Wednesday, there were already no clean plates and cups in the apartment, and Vadim and Grigoriy ate yogurt with disposable plastic spoons for breakfast and drank mineral water in a bottle. But nobody washed the dishes.

Прошла неделя. В доме не было чистой посуды, а в раковине стояла ужасная грязная гора. В кухне было почти **страшно** находиться, и Вадим и Григорий теперь туда не ходили. Они ходили обедать в кафе, заказывали еду по телефону, ели хлеб, сыр и **йогурт**—без тарелок, **вилок** и ложек.

A week passed. There were no clean dishes in the house, and there was a terrible dirty mountain in the sink. It was almost terrifying to be in the kitchen, and Vadim and Grigoriy didn't go there now. They went to dinner in a cafè, ordered food by phone, ate bread, cheese, and yogurt—without plates, forks, and spoons.

В воскресенье утром прозвенел дверной звонок. Григорий в пижаме открыл дверь. Это была Наташа. Друзья ссорились из-за посуды и забыли, что в воскресенье они с Наташей собирались делать общий проект по менеджменту. Вадим вышел из комнаты—тоже в пижаме. Молодые люди стояли в коридоре **словно громом поражённые**. У них был очень глупый вид.

On Sunday morning, the doorbell rang. Grigoriy, in his pajamas, opened the door. It was Natasha. The friends were quarreling because of the dishes and forgot that on Sunday, they and Natasha were going to do a common management project. Vadim went out of the room—also in his pajamas. The young people were standing in the hallway, totally flabbergasted. They had a very stupid look.

«Может быть, я вас **разбудила**?» вежливо сказала Наташа. «Извините. Я пойду на кухню—буду пить **чай**, а вы одевайтесь.»

Она пошла на кухню, а Вадим и Григорий в ужасе вспомнили о горе грязной посуды.

Через минуту Наташа вышла из кухни и сказала:

«Я думаю, мы будем делать проект в другой день. Сегодня в вашей кухне ничего нельзя делать.»

Наташа ушла, а грустные Вадим и Григорий пошли на кухню и очень быстро начали мыть посуду.

"Maybe I've woken you up?" said Natasha politely. "Sorry. I will go to the kitchen—I will have some tea, and you get dressed."

She went to the kitchen, and Vadim and Grigoriy, in horror, remembered the mountain of dirty dishes.

In a minute, Natasha went out of the kitchen and said:

"I think we'll do the project another day. Nothing can be done in your kitchen today."

Natasha left, and sad, Vadim and Grigoriy went to the kitchen and began to wash the dishes very quickly.

После этого случая Вадим и Григорий решили купить **посудомойку** и не спорить о посуде. О Наташе они тоже не спорили – она рассказала студентам в их группе, что в квартире друзей – большой **бардак**, а она встречается с молодым человеком, который каждый день моет посуду и **пылесосит** пол.

After this incident, Vadim and Grigoriy decided to buy a dishwasher and not argue about the dishes. They weren't arguing about Natasha either—she told the students in their group that there was a big mess in the friends' apartment, and she was dating a young man who washed the dishes and vacuums the floor every day.

Краткое содержание

Григорий и Вадим были студентами и вместе снимали квартиру. Обычно они были хорошими друзьями, но у них было две причины для ссоры—Наташа и уборка в квартире. Наташа была самой красивой девушкой в их группе. Вадим думал, что он будет встречаться с Наташей, но Григорий тоже хотел с ней встречаться. В квартире Григорий и Вадим убирались в своих комнатах, но постоянно спорили, кто будет мыть ванну, кухню и туалет. Один раз у них случилась большая ссора. Посуда была самой нелюбимой обязанностью Вадима и Григория. В понедельник Вадим пришёл на кухню и увидел в раковине высокую гору грязной посуды. Он не хотел её мыть, и Григорий тоже. Дома не было чистой кастрюли и сковородки, и Вадим пошёл ужинать в кафе, а Григорий заказал пиццу. В среду в квартире не было чистых тарелок и чашек. Посуду никто не мыл. Через неделю в доме не было чистой посуды, а в раковине стояла ужасная грязная гора. В кухне было страшно находиться, и Вадим и Григорий туда не ходили. В воскресенье утром прозвенел дверной звонок. Григорий в пижаме открыл дверь. Это была Наташа. Друзья забыли, что в воскресенье они собирались делать общий проект. У молодых людей был очень глупый вид. Наташа сказала, что пойдёт на кухню и будет пить чай, и Вадим и Григорий в ужасе вспомнили о горе грязной посуды. Через минуту Наташа вышла из кухни и сказала, что они будут делать проект в другой день. Она ушла, а Вадим и Григорий очень быстро начали мыть посуду. После этого случая Вадим и Григорий решили купить посудомойку и не спорить о посуде. О Наташе они тоже не спорили она рассказывала студентам в их группе, что в квартире друзей—бардак, а она встречается с молодым человеком, который каждый день моет посуду и пылесосит пол.

Summary

Grigoriy and Vadim were students and rented an apartment together. They were usually good friends, but they had two reasons for a quarrel—Natasha and cleaning the apartment. Natasha was the most beautiful girl in their group. Vadim thought that he would date Natasha, but Grigoriy also wanted to date her. Grigoriy and Vadim cleaned their rooms in the apartment but constantly argued who would wash the bath, the kitchen, and the toilet. Once, they had a big quarrel. Washing dishes was the most unfavorite duty of Vadim and Grigoriy. On Monday, Vadim came into the kitchen and saw a high mountain of dirty dishes in the sink. He didn't want to wash it, and Grigoriy didn't want to either. There was no clean pot and frying pan in the house, and Vadim went to dinner in a cafè, and Grigoriy ordered pizza. There were no clean plates and cups in the apartment on Wednesday. No one washed the dishes. A week later, there were no clean dishes in the house, and there was a terrible dirty mountain in the sink. It was terrifying to be in the kitchen, and Vadim and Grigoriy didn't go there. On Sunday morning, the doorbell rang. Grigoriy, in his pajamas, opened the door. It was Natasha. The friends forgot that they were going to do a common project on Sunday. The young people had a very silly look. Natasha said that she would go to the kitchen and have some tea, and Vadim and Grigoriy, in horror, remembered the mountain of dirty dishes. A minute later, Natasha went out of the kitchen and said that they would do the project another day. She left, and Vadim and Grigoriy began washing the dishes very quickly. After this incident, Vadim and Grigoriy decided to buy a dishwasher and not argue about the dishes. They weren't arguing about Natasha either—she told the students in their group that she was dating a young man who washed dishes and vacuums the floor every day.

Grammar note

You will find many verbs in the **Future Tense – будущее время –** in this text. One of the ways to form this tense is to use the auxiliary verb **быть** – e.g., он **будет** мыть – he will wash.

Лексика – Vocabulary

Менеджмент (masc. gender) – Management

Снимать (imperfect) – Rent

Причина (fem. gender)– Cause

Ссора (fem. gender) – Quarrel

Уборка (fem. gender) – Cleaning

Убираться (imperfect) – Clean

Общий – Common

Мыть (imperfect) – Wash

Расписание (neut. gender) – Schedule

Обязанность (fem. gender) – Duty

Раковина (fem. gender) – Sink

Гора (fem. gender) – Mountain

Тарелка (fem. gender) – Plate

Чашка (fem. gender) – Cup

Одноразовый – Disposable

Ложка (fem. gender) – Spoon

Страшно – Terrifying

Йогурт (masc. gender) – Yogurt

Вилка (fem. gender) – Fork

Словно громом поражённый – **Idiomatic**: literally as if struck by thunder, meaning flabbergasted

Разбудить (perfect) – Wake up

Чай (masc. gender) – Tea

Посудомойка (fem. gender) – Dishwasher

Бардак (masc. gender) – Mess

Пылесосить (imperfect) – Vacuum clean

Вопросы

1. Кто хотел встречаться с Наташей?

2. Какие причины для ссоры были у Вадима и Григория?

3. Какая была самая нелюбимая обязанность Вадима и Григория?

4. Почему Вадим и Григорий ходили обедать в кафе, заказывали еду по телефону, ели хлеб, сыр и йогурт?

5. Что решили купить друзья после этого случая?

6. Когда Вадим увидел в раковине гору грязной посуды?

А. В воскресенье

Б. В понедельник

В. В среду

7. Чего не было в доме в среду?

А. Чистых тарелок

Б. Пиццы

В. Воды

8. Зачем в воскресенье пришла Наташа?

А. Делать общий проект

Б. Мыть посуду

В. Помогать с уборкой

9. Почему у Вадима и Григория был глупый вид?

А. Они ссорились

Б. Они вспомнили о горе грязной посуды

В. Они забыли о проекте и о Наташе

10. Почему после этого случая друзья не спорили о Наташе?

А. Она начала встречаться с Вадимом

Б. Она начала встречаться с Григорием

В. Она встречалась с другим молодым человеком

Ответы

1.Вадим и Григорий

2. Наташа и уборка

3. Мыть посуду

4. В доме не было чистой посуды

5. Посудомойку

6. Б.

7. А.

8. А.

9. В.

10. В.

Questions

1. Who wanted to date Natasha?

2. What reasons for a quarrel did Vadim and Grigoriy have?

3. What was the most unfavorite duty of Vadim and Grigoriy?

4. Why did Vadim and Grigoriy go to dinner in a cafè, order food by phone, eat bread, cheese, and yogurt?

5. What did the friends decide to buy after this incident?

6. When did Vadim see a mountain of dirty dishes in the sink?

A. On Sunday

B. On Monday

C. On Wednesday

7. What was missing in the house on Wednesday?

A. Clean plates

B. Pizza

C. Water

8. What did Natasha come on Sunday for?

A. To do a common project

B. To wash the dishes

C. To help with the cleaning

9. Why did Vadim and Grigoriy has a stupid look?

A. They were quarreling

B. They remembered about the mountain of dirty dishes

C. They had forgotten about the project and Natasha

10. Why weren't the friends arguing about Natasha after this incident?

A. She started dating Vadim

B. She started dating Grigoriy

C. She was dating another young man

Answers

1. Vadim and Grigoriy

2. Natasha and cleaning

3. Washing the dishes

4. There were no clean dishes in the house

5. Dishwasher

6. B.

7. A.

8. A.

9. C.

10. C.

Chapter 10 – У чёрта на куличках – In the Middle of Nowhere

Алина работала в **туристической** компании, это была очень **общительная** девушка, и у неё было много друзей. Алина постоянно **ездила** на **вечеринки**. У Алины была машина, и друзья часто просили её **привезти** разные вещи.

Alina worked in a travel company, she was a very sociable girl, and she had a lot of friends. Alina constantly went to parties. Alina had a car, and her friends often asked her to bring different things.

Зимой двоюродная сестра Настя позвала Алину на **новоселье**— друг Насти, Максим, **переехал** в квартиру в новом **районе**. Алина не знала Максима, но знала, что это хороший друг Насти. Настя попросила Алину привезти на новоселье три бутылки **шампанского**.

In winter, her cousin, Nastya, called Alina to a housewarming party—Nastya's friend, Maxim, has moved to an apartment in a new district. Alina didn't know Maxim, but she knew that he was a good friend of Nastya. Nastya asked Alina to bring three bottles of champagne at the housewarming party.

Алина плохо знала тот новый район и решила ехать по **навигатору**. Вечером она **заехала** в магазин и купила три бутылки шампанского, а потом **выехала** на **шоссе** и поехала на север.

Alina knew that new district badly and decided to go by a GPS navigator. In the evening, she drove into a shop and bought three bottles of champagne and then drove onto the highway and drove north.

Через час она **съехала** с шоссе и приехала в нужный район. Алина **подъехала** к высокому дому. Она искала дом номер девять, и навигатор **указал** на этот дом, но дом был **нежилой**— там работали **строители**. Алина очень удивилась, проверила навигатор и **объехала** вокруг стройки. Она хотела позвонить Насте, но телефон двоюродной сестры находился **вне зоны доступа**.

An hour later, she drove off the highway and went to the district she needed. Alina drove near a tall house. She was looking for the house #9, and the navigator pointed to that house, but the house was uninhabited—builders were working there. Alina was very surprised, checked her navigator, and moved around the construction site. She wanted to call Nastya, but her cousin's phone was out of coverage.

 На улице было темно. Шёл снег. Алина **переехала** через мост и два раза **объехала** большой новый квартал. «**У чёрта на куличках**!» подумала Алина. Около книжного магазина она увидела дом номер девять, **корпус** один. Настя не сказала ей о корпусе, и Алина подумала, что это правильный дом.

It was dark outside. It was snowing. Alina went over a bridge and twice went through a big new quarter. "In the middle of nowhere!" thought Alina. Near a bookshop, she saw the house #9, building 1. Nastya didn't tell her about a building, and Alina thought that this was the right house.

Она взяла **рюкзак** с шампанскими позвонила в **домофон**. Дверь **парадной** открылась, и Алина поднялась на седьмой **этаж**. Дверь квартиры открыл **сонный парень**. Алина сказала: «Привет, Максим! Я привезла шампанское.» Она сняла ботинки и пошла на кухню, достала бутылки из рюкзака и поставила их на стол. **Хозяин** квартиры тоже пришёл на кухню, у него был очень **удивлённый** вид.

She took the rucksack with the champagne and rang the house intercom. The entrance door opened, and Alina went up to the 7th floor. A sleepy guy opened the door of the apartment. Alina said: "Hi, Maxim! I've brought the champagne." She took off her shoes and went to the kitchen, took out the bottles from her rucksack, and put them on the table. The host also went to the kitchen; he had a very surprised look.

Алина спросила: «А где Настя и другие **гости**? Когда начинается новоселье?» Парень ответил, что сегодня он не ждёт гостей. Его действительно звали Максим, но он не праздновал новоселье—он жил в этом доме уже два года. Теперь удивлённый вид был у Алины.

Alina asked: "And where are Nastya and other guests? When does the housewarming party start?" The guy replied that today he wasn't waiting for any guests. His name really was Maxim, but he wasn't celebrating a housewarming party—he had been living in this house for two years. Now Alina had a surprised look.

Она достала блокнот с адресом, и спросила, какой это дом. Максим объяснил ей, что живёт в доме номер, девять корпус один, а ей, наверное, нужен дом номер девять, корпус два, а дом номер девять, корпус три сейчас строят за мостом. Алина очень удивилась—это было **необычное совпадение**.

She took out a notebook with the address and asked which house it was. Maxim explained to her that he lived in house #9, building 1, and she probably needed house #9, building 2, and house #9, building 3, was now being built behind the bridge. Alina was very surprised—it was an unusual coincidence.

Она положила бутылки в рюкзак, и Максим грустно сказал: «А я так радовался—пришла красивая девушка, принесла шампанское». Алина громко засмеялась и предложила ему пойти с ней на новоселье к его **тёзке**. Максим согласился, и они вместе поехали в дом номер девять, корпус два. Это был правильный дом. Настя, её друг и гости тоже очень удивились из-за совпадения. Вечеринка была замечательная, и Алина была рада, что теперь у неё есть новый хороший знакомый.

She put the bottles into her rucksack, and Maxim sadly said: "But I was so glad—a beautiful girl came and brought champagne." Alina laughed out loud and invited him to go with her to the housewarming party of his namesake. Maxim agreed, and together, they went to house #9, building 2 for. It was the right house. Nastya, her friend, and guests were also very surprised because of the coincidence. The party was wonderful, and Alina was glad that now she had a new good acquaintance.

Краткое содержание

Алина часто ездила на вечеринки. Друзья обычно просили её привезти разные вещи на машине. Зимой двоюродная сестра Настя позвала Алину на новоселье—друг Насти, Максим, переехал в квартиру в новом районе. Алина не знала Максима. Настя попросила Алину привезти три бутылки шампанского. Алина плохо знала тот новый район и решила ехать по навигатору. Она купила три бутылки шампанского и поехала на новоселье. Навигатор указывал на высокий дом, но этот дом был нежилой—там работали строители. Алина позвонила Насте, но телефон двоюродной сестры находился вне зоны доступа. Алина объехала новый квартал и увидела около книжного магазина дом номер девять, корпус один. Настя не сказала о корпусе, и Алина подумала, что это правильный дом. Дверь квартиры открыл сонный парень. Алина сказала «привет», пошла на кухню и поставила на стол бутылки с шампанским. У хозяина квартиры был очень удивлённый вид. Алина спросила о Насте и о новоселье, но он ответил, что не ждёт гостей. Его тоже звали Максим, но он не праздновал новоселье. Алина удивилась из-за совпадения. Максим объяснил, что живёт в доме номер девять корпус, один, а ей нужен дом номер девять, корпус два. Алина положила бутылки в рюкзак, и Максим грустно сказал: «А я так радовался— пришла красивая девушка, принесла шампанское». Алина засмеялась и предложила пойти с ней на новоселье. Максим согласился. На новоселье все удивлялись из-за совпадения. Вечеринка была замечательная, и Алина была рада, что теперь у неё есть новый хороший знакомый.

Summary

Alina often went to parties. Her friends usually asked her to bring different things by car. In winter, her cousin, Nastya, called Alina to a housewarming party—Nastya's friend, Maxim, moved to an apartment in a new district. Alina didn't know Maxim. Nastya asked Alina to bring three bottles of champagne. Alina didn't know that new district well and decided to go by a GPS navigator. She bought three bottles of champagne and went to the housewarming party. The navigator pointed to a tall house, but this house was uninhabited— builders were working there. Alina called Nastya, but her cousin's phone was out of coverage. Alina traveled around a new quarter and saw house #9, building 1 near a bookshop. Nastya didn't say about a building, and Alina thought that this was the right house. A sleepy guy opened the door of the apartment. Alina said, "Hello", went to the kitchen, and put the champagne bottles on the table. The host had a very surprised look. Alina asked about Nastya and the housewarming party, but he replied that he wasn't waiting for any guests. His name was Maxim too, but he wasn't celebrating a housewarming. Alina was surprised because of the coincidence. Maxim explained that he lived in the house #9, building 1, and she needed the house #9, building 2. Alina put the bottles into her rucksack, and Maxim sadly said: "But I was so glad—a beautiful girl came and brought champagne." Alina laughed and offered to go with her to the housewarming party. Maxim agreed. At the housewarming party, everyone was surprised because of the coincidence. The party was wonderful, and Alina was glad that now she had a new good acquaintance.

Grammar note

You will find many **verbs of movement** in this text. It is a very sophisticated category in Russian—there are a lot of forms and various prefixes. Here, you will find many verbs used for going around in some kind of vehicle, e.g., car.

Лексика – Vocabulary

Туристический – Traveling, for tourists

Общительный – Communicative

Вечеринка (fem. gender) – Party

Ездить (imperfect) – Go (by car, etc.)

Привезти (perfect) – To bring with you (by car, etc.)

Новоселье (neut. gender) – Housewarming

Переехать (perfect) – Move into another house

Район (masc. gender) – District

Шампанское (neut. gender) – Champagne

Навигатор (masc. gender) – GPS navigator

Заехать (perfect) – To go into (by car, etc.)

Выехать (perfect) – To go out of (by car, etc.)

Шоссе (neut. gender) – Highway

Съехать (perfect) – Go off (by car, etc.)

Подъехать к (perfect) – Go near to (by car, etc.)

Указать (perfect) – Point to

Нежилой – Uninhabited

Строитель (masc. gender) – Builder

Объехать вокруг (perfect) – Go around (by car, etc.)

Вне зоны доступа – Out of coverage

Переехать через (perfect) – Go over (by car, etc.)

Объехать (perfect) – Go through (by car, etc.)

У чёрта на куличиках – **Idiomatic**: meaning in the middle of nowhere

Корпус (masc. gender) – Building

Рюкзак (masc. gender) – Rucksack

Домофон (masc. gender) – House intercom

Парадная (fem. gender) – House entrance

Этаж (masc. gender) – Floor, storey

Сонный – Sleepy

Парень (masc. gender) – Guy

Хозяин (masc. gender) – Host

Удивлённый – Surprised

Гость (masc. gender) – Guest

Необычный – Unusual

Совпадение (neut. gender) – Coincidence

Тёзка (masc./fem. gender) – Namesake

Вопросы

1. Где работала Алина?

2. Кто позвал Алину на новоселье?

3. Почему Алина решила ехать по навигатору?

4. Что купила Алина в магазине?

5. Где Алина увидела дом девять корпус один?

6. В доме, на который указал навигатор…

А. Была вечеринка

Б. Работали строители

В. Был книжный магазин

7. Почему Алина не могла позвонить Насте?

А. Настя была на вечеринке

Б. Настя была у чёрта на куличиках

В. Телефон Насти был вне зоны доступа

8. Кто открыл дверь квартиры?

А. Настя

Б. Гость

В. Сонный парень

9. Почему у хозяина квартиры был удивлённый вид?

А. Он не ждал гостей и не праздновал новоселье

Б. Его звали не Максим

В. Он не любил шампанское

10. Почему Алина удивилась?

А. Это был неправильный этаж

Б. Это было необычное совпадение

В. Это была грустная вечеринка

Ответы

1. В туристической компании

2. Двоюродная сестра Настя

3. Она плохо знала район

4. Три бутылки шампанского

5. Около книжного магазина

6. Б.

7. В.

8. В.

9. А.

10. Б.

Вопросы

1. Where did Alina work?

2. Who called Alina to a housewarming party?

3. Why did Alina decide to go by a GPS navigator?

4. What did Alina buy in a shop?

5. Where did Alina see the house #9, building 1?

6. In the house the navigator pointed to…

A. There was a party

B. Builders were working

C. There was a bookshop

7. Why couldn't Alina call Nastya?

A. Nastya was at a party

B. Nastya was in the middle of nowhere

C. Nastya's phone was out of coverage

8. Who opened the door of the apartment?

A. Nastya

B. A guest

C. A sleepy guy

9. Why did the host of the apartment had a surprised look?

A. He wasn't waiting for any guests and wasn't celebrating a housewarming

B. His name wasn't Maxim

C. He didn't like champagne

10. Why was Alina surprised?

A. It was a wrong floor

B. It was an unusual coincidence

C. It was a sad party

Ответы

1. In a travel company

2. Her cousin, Nastya

3. She didn't know that district well

4. Three bottles of champagne

5. Near a bookshop

6. B.

7. C.

8. C.

9. A.

10. B.

Chapter 11 – Транссибирская магистраль – The Trans-Siberian Railway

Ник увлекался русской культурой. Он полтора года изучал русский язык, читал о России и хотел туда поехать. В России много интересных мест, и Ник хотел **посетить** разные города, музеи и **национальные парки**, но самая большая его **мечта** была транссибирская магистраль. Он очень хотел поехать на поезде по этому **знаменитому маршруту** и посмотреть на русские города и русскую **природу**.

Nick was engaged in Russian culture. He was studying Russian for a year and a half, was reading about Russia, and wanted to go there. There are many interesting places in Russia, and Nick wanted to visit different cities, museums, and national parks, but his biggest dream was the Trans-Siberian Railway. He really wanted to go by train along this well-known route and see Russian cities and Russian nature.

Летом на каникулах Ник приехал в Россию в Москву. Он сразу пошёл на вокзал и купил билет на поезд во Владивосток. Ник не очень хорошо понимал русскую **систему железных дорог** и купил билет в **плацкарт**.

In summer on vacation, Nick came to Russia to Moscow. He immediately went to a railway station and bought a train ticket to Vladivostok. Nick didn't understand the Russian railway system very well and bought a ticket to platzcart (a reserved seat).

Ник **пришёл** на вокзал заранее. Он **зашёл** в **вагон** и очень удивился. Это был вагон открытого типа; в нём было пятьдесят четыре **спальных места**. Слева были открытые **отделения** с четырьмя **полками**—две **нижние** полки, две **верхние** полки и маленький стол. Справа были очень маленькие **боковые** отделения—нижняя и верхняя полки, но очень **узкие**. Ник проверил билет и нашёл место—это была верхняя полка.

Nick came to the station in advance. He went into the carriage and was very surprised. It was an open type carriage; it had fifty-four sleeping berths. There were open compartments with four berths to the left—two lower-level berths, two upper-level berths, and a small table. There were very small side compartments to the right—lower and upper berths, but very narrow ones. Nick checked his ticket and found his place—it was an upper-level berth.

В вагон зашли другие **пассажиры**. У Ника было три **соседа**— старая бабушка, сердитый мужчина с **бородой** и толстая женщина. Бабушка помогла Нику положить чемодан под нижнюю полку, но она и другие соседи не говорили по-английски, а Ник не очень хорошо говорил по-русски.

Other passengers came into the carriage. Nick had three neighbors— an old granny, an angry man with a beard, and a fat woman. The granny helped Nick put the suitcase under the lower berth, but she and the other neighbors didn't speak English, and Nick didn't speak Russian very well.

Первая ночь была ужасная: Ник **боялся упасть** с полки, сердитый мужчина напротив громко **храпел**, бабушка с толстой женщиной громко говорили о жизни и ели **жареную курицу**, а в **проходе ходили** и **топали** пассажиры и **проводник**. Днём сонный Ник смотрел в окно, но видел там обычный **скучный зелёный лес**. В городах поезд стоял **недолго**, и он не мог их посмотреть. Ник обнаружил, что в его вагоне нет **душа**; **аккумулятор** в его электронной книге и телефоне разрядился, а купить **адаптер** в Москве он забыл—все **тридцать три несчастья**. Ник зашёл в вагон-ресторан, но еда ему не очень понравилась.

The first night was terrible: Nick was afraid to fall off the berth, the angry man opposite him was snoring loudly, the granny and the fat woman were talking loudly about life and eating fried chicken, and passengers and the carriage attendant were walking and tramping in the aisle. In the afternoon, sleepy Nick was looking out of the window, but he saw there an ordinary boring green forest. In the cities, the train didn't stop for a long time, and he couldn't see them. Nick found out that there was no shower in his carriage; the battery in his e-book and phone was dead, and he had forgotten to buy an adapter in Moscow—very bad luck. Nick went into the restaurant carriage, but he didn't really like the food.

На второй день Нику было очень грустно. Проводник показал ему расписание, и Ник понял, что поезд едет во Владивосток **неделю**. Ник решил, что завтра, когда он увидит большой город, он **выйдет** из поезда и вернётся в Москву.

On the second day, Nick was very sad. The attendant showed him the schedule, and Nick understood that the train was going to Vladivostok for a week. Nick decided that tomorrow, when he saw a big city, he would get off the train and return to Moscow.

Но рано утром соседи Ника—бабушка и сердитый мужчина— **сошли**, а вместо них в Новосибирске **вошли** молодые студенты, друзья Семён и Константин. Они прекрасно говорили по-английски и очень удивились, что иностранец один едет во Владивосток не в **купе**, но в плацкарте. Они рассказали Нику о русской железной дороге и помогли купить на большой **станции** адаптер.

But early in the morning, Nick's neighbors—the granny and the angry man—got off, and instead of them, young students got on in Novosibirsk, the friends Semyon and Konstantin. They spoke excellent English and were very surprised that a foreigner was going alone to Vladivostok not in the first class but in platzcart. They told Nick about the Russian railway and helped him buy an adapter at a large station.

Утром четвёртого дня Ник понял, что путешествие не ужасное, а интересное. В окне начались красивые **пейзажи**. Он подружился с Семёном и Константином; они говорили, смотрели русские фильмы (друзья **переводили** их для Ника), пили горячий чёрный чай, **выходили** на станциях и покупали русские **пирожки**.

On the morning of the fourth day, Nick understood that the journey wasn't terrible, but rather interesting. Beautiful landscapes began to appear in the window. He made friends with Semyon and Konstantin; they were talking, watching Russian movies (the friends translated them for Nick), drinking hot black tea, going out at the stations, and buying small Russian pies.

Через неделю Ник приехал во Владивосток. Несколько дней он жил дома у Семёна, и друзья показывали ему город, порт и **океан**. Потом он полетел на **самолёте** в Москву и смотрел **достопримечательности** там.

A week later, Nick arrived in Vladivostok. For several days, he lived at Semyon's house, and his friends showed him the city, the port, and the ocean. Then, he flew by plane to Moscow and saw the sights there.

Ник вернулся домой. Потом он много раз летал в Россию, выучил русский язык и часто встречался с Семёном и Константином. Ник иногда вспоминал **путешествие** по транссибирской магистрали и смеялся—**повторять** его он не хотел, но это был интересный **опыт**, и Ник радовался, что нашёл хороших друзей.

Nick returned home. Later, he flew to Russia many times, learned Russian, and often met Semyon and Konstantin. Nick sometimes remembered his journey on the Trans-Siberian Railway and laughed—he didn't want to repeat it, but it was an interesting experience, and Nick was glad that he had made good friends.

Краткое содержание

Ник увлекался русской культурой, изучал русский язык и хотел поехать в Россию. Самая большая его мечта была транссибирская магистраль—он хотел поехать на поезде по этому маршруту. Летом на каникулах Ник приехал в Москву. На вокзале он купил билет на поезд во Владивосток. Ник не очень хорошо понимал русскую систему железных дорог и купил билет в плацкарт. В поезде Ник очень удивился—это был вагон открытого типа с верхними и нижними полками. Ник ехал на верхней полке. У Ника было три соседа—бабушка, сердитый мужчина и толстая женщина. Они не говорили по-английски, а Ник не очень хорошо говорил по-русски. Первая ночь была ужасная: Ник боялся упасть, мужчина храпел, бабушка с женщиной громко говорили, а в проходе ходили пассажиры. Днём в городах поезд стоял недолго, и Ник не мог их посмотреть. В его вагоне не было душа. Аккумулятор в электронной книге и телефоне разрядился, а купить адаптер Ник забыл. На второй день Ник решил, что выйдет из поезда и вернётся в Москву. Но утром соседи Ника сошли, а в Новосибирске вошли молодые студенты, Семён и Константин. Они прекрасно говорили по-английски, рассказали Нику о русской железной дороге, помогли купить адаптер. Путешествие было не ужасное, а интересное. Ник подружился с Семёном и Константином; они говорили и смотрели фильмы. Через неделю Ник приехал во Владивосток, а потом полетел в Москву. Ник вернулся домой и потом много раз летал в Россию.

Он иногда вспоминал путешествие по транссибирской магистрали—повторять его он не хотел, но это был интересный опыт, и он нашёл хороших друзей.

Summary

Nick was engaged in Russian culture, studying Russian, and he wanted to go to Russia. His biggest dream was the Trans-Siberian Railway—he wanted to go by train along this route. In summer on vacation, Nick came to Moscow. At the station, he bought a train ticket to Vladivostok. Nick didn't understand the Russian railway system very well and bought a ticket to platzcart. On the train, Nick was very surprised—it was an open type carriage with upper and lower-level berths. Nick was going on the upper berth. Nick had three neighbors—a granny, an angry man, and a fat woman. They didn't speak English, and Nick didn't speak Russian very well. The first night was terrible: Nick was afraid to fall down, the man was snoring, the granny and the woman were speaking loudly, and passengers were walking in the aisle. In the afternoon, the train didn't stop for a long time in the cities, and Nick couldn't see them. There was no shower in his carriage. The battery in the e-book and phone was dead, and Nick had forgotten to buy an adapter. On the second day, Nick decided that he would get off the train and return to Moscow. But in the morning, Nick's neighbors got off, and young students came in at Novosibirsk, Semyon and Konstantin. They spoke excellent English, told Nick about the Russian railway, and helped him buy an adapter. The journey was not terrible but rather interesting. Nick made friends with Semyon and Konstantin; they were talking and watching films. A week later, Nick arrived at Vladivostok and then flew to Moscow. Nick returned home and then flew to Russia many times. He sometimes remembered his journey along the Trans-Siberian Railway—he didn't want to repeat it, but it was an interesting experience, and he made good friends.

Grammar note

You will find the next portion of the **verbs of movement** in this text. Here, you will find the verbs used for going around on foot.

Лексика – Vocabulary

Посетить (perfect) – Visit

Национальный парк (masc. gender) – National park

Мечта (fem. gender) – Dream

Знаменитый – Well-known

Маршрут (masc. gender) – Route

Природа (fem. gender) – Nature

Система (fem. gender) – System

Железная дорога (fem. gender) – Railway

Плацкарт (masc. gender) – Economy class sleeping car with open-type carriages

Прийти (perfect) – Come

Зайти (perfect) – Come into

Вагон (masc. gender) – Carriage

Спальное место (neut. gender) – Sleeping accommodation, berth

Отделение (neut. gender) – Compartment

Полка (fem. gender) – Bank, berth

Нижний – Lower-level

Верхний – Upper-level

Боковой – Side

Узкий – Narrow

Пассажир (masc. gender) – Passenger

Сосед (masc. gender) – Neighbor

Борода (fem. gender) – Beard

Бояться (imperfect) – Be afraid of

Упасть (perfect) – Fall down

Храпеть (imperfect) – Snort

Жареный – Fried

Курица (fem. gender) – Chicken

Проход (masc. gender) – Aisle

Ходить (imperfect) – Walk

Топать (imperfect) – Tramp

Проводник (masc. gender) – Carriage attendant

Скучный – Boring

Лес (masc. gender) – Forest

Недолго – For a short time

Душ (masc. gender) – Shower

Аккумулятор (masc. gender) – Battery

Адаптер (masc. gender) – Adapter

Тридцать три несчастья – **Idiomatic**: literally thirty-three misfortunes, meaning very bad luck

Неделя (fem. gender) – Week

Выйти/выходить (perfect\imperfect) – Go out

Сойти (perfect) – Go out of/from

Войти (perfect) – Get into

Купе (neut. gender) – first-class sleeping car with separate compartments

Станция (fem. gender) – Station

Пейзаж (masc. gender) – Landscape

Переводить (imperfect) – Translate

Пирожок (masc. gender) – A small closed pie with some filling

Океан (masc. gender) – Ocean

Самолёт (masc. gender) – Plane

Достопримечательность (fem. gender) – Sight, point of interest

Путешествие (neut. gender) – Journey

Повторять (imperfect) – Repeat

Опыт (masc. gender) – Experience

Вопросы

1. Какая была самая большая мечта Ника?

2. В какой город купил билет Ник?

3. Что Ник забыл купить в Москве?

4. Сколько поезд едет из Москвы во Владивосток?

5. Кто вошёл в вагон Ника в Новосибирске?

6. Кто помог Нику положить чемодан?

А. Бабушка

Б. Сердитый мужчина

В. Проводник

7. Чего не было в вагоне Ника?

А. Верхних полок

Б. Нижних полок

В. Душа

8. Кто громко храпел?

А. Бабушка

Б. Сердитый мужчина

В. Толстая женщина

9. Что делали в поезде Ник, Семён и Константин?

А. Говорили и смотрели фильмы

Б. Громко топали

В. Говорили по-русски

10. Что показали друзья Нику во Владивостоке?

А. Вокзал и музей

Б. Город и океан

В. Национальный парк

Ответы

1. Транссибирская магистраль

2. Во Владивосток

3. Адаптер

4. Неделю

5. Молодые студенты Семён и Константин

6. А.

7. В.

8. Б.

9. А.

10. Б.

Questions

1. What was Nick's biggest dream?

2. What city did Nick buy a ticket to?

3. What did Nick forget to buy in Moscow?

4. How long does the train go from Moscow to Vladivostok?

5. Who got into Nick's carriage in Novosibirsk?

6. Who helped Nick with his suitcase?

A. The granny

B. The angry man

C. The carriage attendant

7. What was missing in Nick's carriage?

A. Upper berths

B. Lower berths

C. Shower

8. Who was snoring loudly?

A. The granny

B. The angry man

C. The fat woman

9. What were Nick, Semyon, and Konstantin doing on the train?

A. Talking and watching movies

B. Tramping loudly

C. Speaking Russian

10. What did the friends show Nick in Vladivostok?

A. A railway station and a museum

B. The city and the ocean

C. A national park

Answers

1. The Trans-Siberian Railway

2. To Vladivostok

3. An adapter

4. A week

5. Young students Semyon and Konstantin

6. A.

7. C.

8. B.

9. A.

10. B.

Conclusion

Congratulations—you have completed the book! Hopefully, you have enjoyed it, and it has helped you learn some new handy vocabulary, get a better understanding of Russian grammar, discover something unexpected and interesting, and—most importantly—feel more confident about your Russian language skills. Russian isn't the easiest language to study, but while reading this book, optimistically, you have seen it with your own eyes that you *can* understand a Russian text without too much difficulty.

Language learning is sometimes hard and tedious work, but it doesn't have to be always so. If you supplement your grammar lessons and vocabulary lists with some language resources that are interesting for you, that can grab your attention—then you can study and have fun at the same time. Reading is one of those universal tools where you have everything rolled into one pack; it can make language learning easier and far more enjoyable, and thus it is highly recommended you use this tool.

With any luck, you will return to this book and study the texts in a more detailed way. You will see that after the first reading, the next one/s will become much easier as you already know the plot, and you can explore the grammar and expressions more in-depth.

Think of this book as a kind of entrance to the world of Russia and its beautiful language!

Check out another book by Simple Language Learning

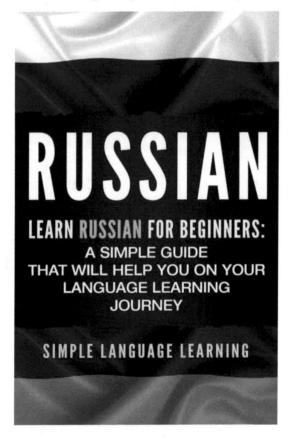

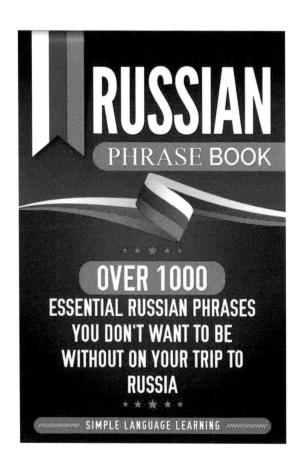

Printed in the USA
CPSIA information can be obtained
at www.ICGtesting.com
LVHW012236210923
759002LV00006B/18